KB178203

무턱대고 노동조합 생활하기

(아무도 알려주지 않는 공공기관 근로시간면제자의
좌충우돌 노동조합 이야기)

무턱대고 노동조합 생활하기(아무도 알려주지 않는 공공기관 근로시간면
제자의 좌충우돌 노동조합 이야기)

발　행 | 2023년 12월 12일
저　자 | 황동준, 김경우(한국산업안전보건공단 노동조합)
펴낸이 | 한건희
펴낸곳 | 주식회사 부크크
출판사등록 | 2014.07.15.(제2014-16호)
주　소 | 서울특별시 금천구 가산디지털1로 119 SK트윈타워 A동 305호
전　화 | 1670-8316
이메일 | info@bookk.co.kr

ISBN | 979-11-410-5850-0

무턱대고
노동조합
생활하기

황동준, 김경우(한국산업안전보건공단 노동조합) 지음

차례

머리말

내가 일하는 직장에 노동조합이 있다는 것은 참 행복한 일이다. 임금과 복지를 비롯해서 직장생활을 하면서 경험하는 다양한 어려움과 고민을 함께 이야기 하고 해결해 나갈 수 있는 것이 노동조합이기 때문이다. 그러나 조합원을 위한 조직인 노동조합이 평소 어떤 일을 하고 있는지, 그 조직은 어떻게 운영이 되고 있는지에 대한 내용을 접하기는 쉽지 않다. 관련된 책을 찾아보기란 더 쉽지 않다.

우리 한국산업안전보건공단 노동조합도 구전동화처럼 선배들의 말과 경험을 통해 노동조합의 역사와 활동들이 전해오고 있다. 그런 와중에 우연히 인터넷 검색을 통해 알게 된 '전력노조 입문서(지은이; 전국전력 노동조합, 출판사; 부크크)'라는 책은 우리만 이런 생각을 하고 있었던 것이 아니었다는 것을 확인한 계기가 되었다. '그렇지! 이렇게 책을 발간한다면 구전동화가 아니라 하나의 현실 역사가 될 수 있겠구나'라는 생각이 들었다.

그래서 한국산업안전보건공단 노동조합을 이끌고 있는 근로시간 면제자들의 지난 3년간의 이야기를 주제별로 엮어보기로 했다. 우리 노동조합은 23년의 역사가 있고 약 1,700명의 조합원으로 구성된 대한민국 산업현장의 산재예방사업을 이끌고 있는 나름의 규모가 있는 단사이다. 이 조직 안에는 노동조합을 이끌고 있는 리더(위원장, 사무처장)와 근로시간면제자를 중심으로 한 집행부가 있으며 다양한 이야기들이 전개되고 있다. 내부적으로 발생하는 사건, 사고는 말 할 것도 없거니와 공공기관으로서의 사회적 책임과 의무, 그리고 조합원들이 요구하는 우리 조직만의 이익 추구와 같은 복잡한 이해관계가 얽혀 있다.

전문 작가도 아닌 사람들이 책을 쓴다는 것은 쉽지 않은 과정이다. 그리고 한 편으로는 노동조합의 이야기가 구전으로 전해 오고 있었던 데에도 일일이 설명할 수 없는 어떤 이유가 있기도 하다. 그러나 시대가 어떤 시대인가! 인터넷과 스마트폰을 필두로 온갖 매체가 난무하고 다양한 소통 채널이 가동되고 있는 지금 꼭 과거 방식을 고집할 필요도 없다. 그래서 알릴 것은 알리고 또 알리기 힘든 것은 왜 알리기 어려운지에 대해 정리해 보는 것도 상당히 의미가 있다고 생각한다.

책의 첫 페이지부터 마지막 페이지까지 모든 내용은 우리 노동조합에 대한 이야기로 구성했으며 딱딱하고 어려운 노동법, 근로기준법과 같은 교과서적인 이야기는 최대한 자제했다. 복잡하고 어려운 내용들은 수많은 전문가들의 이야기가 더 도움이 될 것이기 때문이다. 대신 공공기관 근로시간면제자들의 생생한 숨은 이야기를 통해서 결국은 어떤 기관과 조직의 평범한 노동자이자 조합원인 수많은 사람들에게 노동조합 생활이 친숙하고 재미있게 다가오기를 기대한다. 이 책을 읽는 우리 조합원들의 노동조합에 대한 관심과 참여가 높아지기를 기대하는 것은 당연하며 더 나아가 노동조합 간부가 한 번쯤 해볼 만한 자랑스러운 역할이라는 떳떳한 인식이 생길 수 있기를 바란다.

노동조합 근로시간면제자는 대단한 사람이 하는 것이 아니다. 우리는 다 같은 조합원이다! 책의 일부 원고를 함께 집필한 권원호를 비롯하여 2021년부터 2023년까지 3년의 시간을 함께 해준 근로시간면제자들(구정호, 박희도, 권원호, 박우성)에게 특별한 감사의 마음을 전한다.

2023년 12월

위원장 황동준, 사무처장 김경우

1장

한국산업안전보건공단? 저희는요

책 제목에 걸맞게 무턱대고 노동조합 이야기를 시작하고 싶지만 그래도 노동조합이라는 제목을 달고 있으니 기본적으로 일하는 곳이 어디이며 무엇을 하는 곳인지 정도는 독자들을 배려하는 차원에서 이야기를 해야 할 것 같다. 그리고 명색이 공공기관인데 제대로 된 우리 소개부터 시작해 보자.

1. 여기 뭐하는 곳 인가요?

수많은 공공기관 중의 하나, 한국산업안전보건공단

대한민국에는 수많은 공공기관들이 있다. 이 책의 주인공인 한국산업안전보건공단 노동조합 9기 집행부의 임기가 시작되는 2021

년 기준으로는 350개의 공공기관들이 각 정부부처 산하에 있으며 이 중 36개는 공기업(시장형, 준시장형), 96개는 준정부 기관(기금관리형, 위탁집행형), 그리고 여기에 속하지 않는 나머지 기타 공공기관 218개가 있다. 우리 기관은 고용노동부 산하 위탁집행형 준정부 기관으로 정확한 명칭은 '한국산업안전보건공단'이다.

공단은 1987년 12월 9일에 창립이 되었고 2008년까지 상당한 기간 동안 '한국산업안전공단'이라는 명칭으로 기관이 운영되었는데 많은 사람들에게 '안전공단'이라는 명칭으로 언급되어 왔다. 이 명칭이 얼마나 쉽고 친숙했는지 지금도 안전공단으로 부르는 사람들이 많다. 그러나 2009년 공단은 제2의 도약기를 맞이하여 기관명에 '보건'이라는 단어를 추가하여 '한국산업안전보건공단'으로 명칭을 변경했고 최근에는 '안전보건공단'이라는 약칭으로 부르고 있다.

기관명에 포함되어 있는 '안전'과 '보건', 그리고 '산업'이라는 세 단어가 주는 의미만 간단히 상기해 보아도 이곳에서 하는 일이 무엇인지 직감할 수 있을 것이다. 그렇다! 우리 기관은 산업현장에서 일 하는 수많은 노동자들을 위험요인으로부터 지키고(안전), 유해하거나 불건강한 요인들로부터 건강을 지키는(보건) 일을 하는 곳이다. 노동자들이 일터에서 다치거나(심지어 죽음일 수도 있다) 건강을 잃는 것을 무엇이라고 하는가? 바로 산업재해이다. 산업재해가 발생하지 않도록 예방하는 업무가 우리 공단이 정부로부터, 사업주로부터, 그리고 노동자들로부터 부여받은 미션이자 매일 하는 일이다.

사람들은 일을 하고 거기에 따른 노동의 대가로 급여를 받기 위해 소위 회사라는 이름의 어떤 기관 또는 조직에 출근을 한다. 주변을 둘러보면 매일 어딘가로 출근하고 퇴근하는 사람, 즉 노동자들이 우리 주변에 얼마나 많은지 알 수 있을 것이다. 이런 사람들이 안전하게 건강을 잃지 않고 무사히 각자의 가정으로 돌아갈 수 있도록 산업현장의 안전과 보건을 챙겨보는 것이 우리 공단의 주된 업무인 것이다.

여기서 잠깐, '출근을 했으면 퇴근하고 집에 오는 것이 당연한 일인데 집으로 못 돌아오는 노동자가 있다는 말인가요?'라는 질문을 할 수도 있을 것 같다. 믿기 힘들겠지만 전국적으로 보자면 매일 4~6명의 노동자는 출근은 했지만 집으로 돌아가지 못 하고 있다. 쉽게 말해서 사업장에서 일을 하다가 생사가 결정되는 중대재해(사망사고)가 매일 4~6건씩 발생하는 것이 안타까운 대한민국의 현실이다.

지금은 십 년도 넘은 이야기이지만 우리가 공단에 처음 입사했을 때 선배들은 우리가 하는 일이 사람의 생명을 지키고 때로는 살리는 일이기 때문에 얼마나 소중한 일을 하고 있는지에 대해 자부심을 가질 필요가 있다는 말을 신입직원 교육 때 하고는 했었다. 이 말이 이제는 조합원들 중에서는 나름 선배에 속하는 우리의 입에서도 저절로 나오는 것을 보니 여전히 공단 구성원들의 업무 자긍심을 고취하는 중요한 부분인 것 같다.

우리 공단에서 노동조합은?

　대한민국 사업장에서 노동조합 조직률은 14.1% 수준(국가지표체계, 노동조합 조직률)이라고 하니 여전히 대한민국에서 노동 분야는 가야할 길이 더 많은 것 같다. 다행히 우리는 14.1%안에 들어가는 회사이다. 즉, 우리 공단에는 노동조합이 있다! 현재 공단 임직원은 약 2,200명(2023년 공공기관 알리오) 수준이며 노동조합은 약 1,700명의 조합원으로 구성되어 있다. 요즘 노동조합 내부에서도 이런저런 사유로 복수노조를 운영하는 단사들이 많이 있는데 우리 노동조합은 현재까지 단일 노조 체계이다. 뒤에서도 이야기 하겠지만, 단일 노조 체계로 운영되고 있는 것이 좋은 것인지 안 좋은 것인지(무관심?)에 대해서는 조금 더 자세한 이야기가 필요할 것 같다.

　노동조합 사무실은 공단 본부가 위치해 있는 울산혁신도시에 있다. 노동조합 업무만 하는 근로시간면제자는 선출직인 위원장과 사무처장을 포함해서 6명으로 구성되어 있으며(참고. 우리 노동조합은 규약 상에 수석부위원장 또는 사무처장으로 위원장 선거에 출마가 가능한 관계로 현재 사무처장이 수석부위원장 역할을 함께 하고 있다), 집행간부에 해당하는 상무집행위원이 14명으로 총 20명의 집행부가 현재 9기 노동조합의 임무와 역할을 수행하고 있다. 이 책을 쓰고 있는 2023년은 9기 노동조합 3년의 임기 중 마지막 해에 해당된다.

<9기 집행부 조직현황>

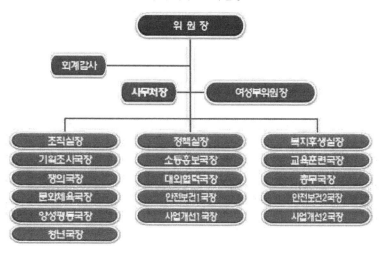

* (근로시간면제자) 위원장, 사무처장, 조직실장, 정책실장, 복지후생실장, 소통홍보국장

우리 공단은 본부를 포함해서 전국 주요 지역에 36개의 광역본부 및 지역본부, 지사 등을 운영하고 있는데, 각 기관에는 노동조합 지부에 해당하는 조직들이 지부장 및 지부간부를 중심으로 운영되고 있다. 또한 공단 본부가 있는 울산광역시(센터권)를 중심으로 총 7개의 광역권에서는 각 권역을 대표하는 운영위원이 본조와 광역권에 소속된 지부들과의 연결고리 역할을 하고 있다. 본조와 지부에서 주요한 역할을 하는 노동조합 간부 숫자만 총 63명(상무집행위원 20명, 운영위원 7명, 지부장 36명)수준이니 규모면에서 결코 작은 것은 아니다.

현재 한국노동조합총연맹(한국노총)을 상급단체로 하고 있으며 산별 조직은 전국공공노동조합연맹(공공연맹)에 속해 있다. 고용노동부 산하 기관이다 보니 같은 부처의 노동조합 단사들 역시 함께 뭉치는 경향이 있다. 과거에는 '노동부유관기관노동조합' 이름으로 함께 활동을 했던 적도 있지만 각 단사의 복잡한 내외부적인 이해관계 때문에 한 동안 활동을 하지 않았다. 그러나 2023년부터 울산혁신도시에 함께 소재해 있으며 고용노동부 산하 빅3에 해당하는 근로복지공단, 한국산업인력공단과 함께 '노동부산하 노동조합 대표자 협의회(노대협)'를 결정해서 3개 단사의 공동 이익 뿐 아니라 올바른 정부정책의 추진을 위한 다양한 활동을 전개하고 있다. 최근 고용노동부 장관과의 면담 추진은 빅3의 연합이 진작 필요했음을 느끼게 해주는 한 일례이다.

우리 공단이 1987년에 창립되었다면, 우리 노동조합의 창립은 언제일까? 2000년 10월 17일이다. 그래서 2023년은 우리 공단 노동조합 창립 23주년이 되는 해가 된다. 직장생활에 있어 노동조합이 있고 없음에 따른 차이가 분명하다는 것을 노동조합이 있는 직장을 다녀본 사람들은 아마 알 것이다. 우리 노동조합 역시 창립 당시 처음으로 작성한 대자보 내용을 보면 억울하고 울분에 찬 조합원들의 상황이 그대로 느껴진다.

"참으로 오랫동안 우리는 알 수 없는 형체에 억눌려 제대로 하고 싶은 말도, 해야 할 말도 하지 않은 채, 아니 하지 못한 채, 푸념이나 한숨에 날려버리려 애쓰며 살아왔습니다."

이렇게 노동조합을 창립하는 과정에서도 얼마나 많은 사측의 방해와 이간질, 그리고 알 수 없는 괴롭힘이 있었을까? 이 모든 것을 이겨내고 팩스로 가입신청서를 받아 지금의 우리 노동조합은 당당히 창립했고 여러 번의 위원장 선거를 거치며 갈등과 반목, 그리고 화합을 통해 1기 집행부(박대식 위원장) 이후 현재 9기 집행부(황동준 위원장)까지 노동조합의 명맥을 당당히 이어오고 있다. 책의 부록에서는 역대 집행부의 주요 투쟁 이야기를 각 집행부를 이끌었던 위원장님의 글을 통해서 소개했다(2023년 바람터 특별기고 원고 발췌).

노동조합의 출범과 성장(feat. 노동조합 역사 1)

초기 집행부의 임기는 2년이었다. 막상 집행부를 해 보면 3년이라는 시간도 주어진 책임을 다 하기에 짧게만 느껴지는데 당시 2년이라는 시간은 첫 해 선출이 되면 다음 해에 위원장 선거를 치러야 했으니 정말 짧은 기간이었다. 그렇게 2기(이백철 위원장), 3기(한정애 위원장)까지 총 3명의 위원장을 배출하고 4기(김용선 위원장) 집행부에 이르러서 임기를 2년에서 3년으로 늘리게 된다. 노동조합 첫 재선에 성공한 5기(김용선 위원장) 집행부는 처음으로 3년의 임기를 수행했다.

여기서 잠깐 언급을 하고 넘어가야 하는 부분이 있는데 방금 지나간 이름 중에 익숙한 이름이 보였는가? 다 알고 있는 그 사람이 맞다. 우리 노동조합은 위원장 출신의 국회의원을 배출한 나름 노동계에서 유명세가 있는 단사이다. 한정애 의원은 2023년 현재 21 대 국회의원이기도 하지만 과거 한국노총 공공연맹 수석부위원장 (2006~2010년)을 역임했고 19대 국회에 입성(2012년), 20대 국회 (2016년), 이후 문재인 정부에서 환경부 장관(2021년)을 역임한 경력이 있다. 당연히 지금도 선배와 후배의 관계로 또는 국회 정책입안자와 산재예방 정책 및 사업을 수행하는 기관의 노동조합 대표자의 관계로 다양한 만남을 이어오고 있다.

다시 본론으로 돌아가서 4기, 5기 집행부 시절이 2005년에서 2007년 정도였으니 현재 9기 집행부를 이끌고 있는 우리가 처음 공단에 입사했던 시기이다. 신입직원이었으니 노동조합이 뭐하는 곳인지도 잘 모르고 지금 아니면 가입할 수가 없다고 하니 일단 노동조합 가입원서를 냈지만 당장 눈앞에 던져진 공단 업무를 배우기에도 급급한 시기였다. 이후 2012년에 치른 6기 위원장 선거는 상당히 치열했던 것으로 기억이 난다. 개인적으로 이때는 공단 입사하고 과장(우리 공단은 4년의 대리 기간을 거치면 과장으로 승진을 할 수 있다) 직책에 있던 시기였으며 한창 지부에서는 대의원으로 또는 사무국장으로 나름 지부조직의 간부 역할을 하고 있던 시기였다. 다른 어떤 때보다 공단과 노동조합에 대한 관심이 무럭무럭 자라고 있는 시기였다.

갈등하고 화합하는 노동조합(feat. 노동조합 역사 2)

6기 위원장 선거는 총 세 팀의 후보가 출마해 경선을 치르고 이후 최종 결선을 치러야 했을 정도로 치열한 선거였다. 지금도 각 후보들이 지부에 유세를 와서 쩌렁쩌렁한 목소리로 자신들의 공약을 내세우고 한 편으로는 상대방의 공약을 공격하는 나름 선거다운 선거를 치렀던 기억이 생생하다. 아마 많은 노동조합 단사 내에는 여러 세력들이 있을 것이다. 지역이 될 수도 있고, 업무가 될 수도 있으며, 혹은 정확히 알 수 없지만 그 조직 내에서 뜻을 같이 하는 사람들 일 수 있다. 더 직접적으로는 현재의 집행부를 지지하는 세력과 그 반대편에 서 있는 세력들 말이다.

이때의 우리 노동조합도 그런 세력 간의 갈등이 한창일 때였다. 기존(4, 5기) 집행부의 명맥을 잇고자 하는 후보와 반대편에서 나온 후보, 그리고 3지대에서 나온 후보들까지 정말 치열한 선거전이었다. 그러나 항상 선거는 간단하다. 결국 다수의 표를 받은 후보가 승리하게 된다. 당시 6기 위원장 선거의 최종 결과는 황추연 위원장과 김호주 수석부위원장의 당선이었고 이후에도 한 동안 이러한 세력 갈등은 노동조합 내에서 지속되었다. 이 갈등이 극에 달했던 것은 7기 위원장 선거였던 것 같다.

2014년 겨울에 치러진 7기 위원장 선거에서는 두 팀이 출마했는데 한 팀은 기존(6기) 집행부에서 내세운 후보였고 다른 한 팀은 과거(4, 5기) 집행부에서 내세운 후보였다. 세력 싸움의 양상으로 선거는 어떤 때보다 치열했다. 각 후보 진영에서는 조합원을 내 편으로 만들기 위해 선거운동 기간에 끊임없이 전화를 돌리고 만나는 조합원을 네 편, 내 편으로 가르며 상대방을 공격하고 비방하는 말들을 퍼트리기도 했었다. 다른 단사의 경우를 살펴보면 지역에 따른 세력구도는 보통 동서(전라도, 경상도)간의 양상으로 나타나는 경우가 많았는데, 특이하게도 우리 노동조합은 전라도와 경상도가 한 팀이었고 대전권 위쪽으로 수도권이 한 팀인 구도였다. 이때의 영향인지는 모르겠지만 지금도 우리 공단에는 동서 간의 갈등이 없다는 것은 좋은 조직문화 중 하나이다.

대전에 소재한 ○○연수원에서 전국의 조합원들이 집결해서 총회를 개최해서 두 팀의 유세를 마지막으로 새로운 위원장을 선출하려는 계획이었다. 그러나 계획은 계획이다. 투표가 종료되고 한참이 지났지만 개표결과는 나오지 않았고 밖에서 기다리는 조합원들은 도대체 어떻게 되고 있는 것이냐며 웅성웅성하는 분위기였다. 한참의 시간이 흘러 선거관리위원장은 개표 결과를 발표했는데, 김인우 후보의 4표차 승리였다. 4표라는 표 차이에서 이때의 선거가 얼마나 치열했는지 알 수 있을 것이다. 상대 후보는 선거 결과를 수락하지 않았다. 여기에는 치명적인 문제가 있었는데 바로 어디까지 무효표를 인정할 것인가 하는 논란이 있었기 때문이다.

결국 이 선거는 최악의 상황으로 치달아 상대 후보의 법적 문제 제기까지 연결 되었고 노동조합 선거가 조합원의 분열로 이어져서는 안 된다는 김인우 당선자의 판단에 모든 것을 내려놓고 재선거를 치르게 되었다. 당시 김인우 후보 측을 지지했던 우리는 선거결과 발표 후, 김인우 당선자의 새로운 7기 집행부를 구성하는 상무집행위원으로 임명되었기에 본부, 연구원, 교육원 등 울산 센터권의 각 부서에 이미 발령까지 받은 상황이었는데, 재선거 기간 동안 집행부가 잠시 해체되기도 했었다. 두 팀의 후보는 전국 유세를 다시 했고 최종 결과는 김인우 위원장(이진원 수석부위원장)의 재당선이었다. 이렇게 7기 집행부는 우여곡절 끝에 본격 임기를 시작하게 되었다.

이후 단독후보로 치러진 두 번의 선거(feat. 노동조합 역사 3)

치열했던 노동조합 위원장 선거는 7기 집행부가 마지막이었다. 이후 치러진 8기 위원장 선거는 기존 집행부(7기)에서 내세운 이태형 후보(황동준 수석부위원장)가 단선으로 출마했고 찬반 투표를 거쳐 위원장직을 수행하게 되었다. 8기 집행부의 출범과 더불어 친노동자 정권인 문재인 정부가 들어섰다는 점에 대한 기대, 그리고 공단 출신이었던 이사장이 새롭게 정권의 명을 받고 부임한 때라 다른 어떤 때보다 원만한 노사관계에 대한 기대가 높았다. 기대가 높으면 실망하기 마련이다. 지금에 와서야 하는 말이지만 선거를 수월하게 치렀다고 해서 임기가 평온할 것이라는 허튼 상상은 절대하지 말아야 한다는 것을 온 몸으로 경험하게 될 줄은 전혀 예상치 못 했다.

책의 3장에서 노동조합 주요 투쟁의 한 장면으로 다루어야 할 만큼 우리 공단은 이 시기에 극심한 내부 노사 갈등을 경험했다. 집행부의 하루는 노동조합 사무실에서 보낸 시간 보다 밖에서 보낸 시간이 더 많았다고 해야 할 정도로 끊임없는 투쟁의 연속이었다. 당시 위원장은 공단 조직과 사업을 망가트린 이사장 퇴진운동을 했고 청와대 1인 시위를 위원장 임기를 마치는 그 날까지 진행했다. 점입가경으로 최악의 노사갈등을 만든 이사장은 공단 역사상 처음으로 연임을 하는 이사장이 되었다. 그리고 친노동조합을 표방했던 문재인 정부에 대해 우리 노동조합은 마음에 큰 상처를 입었던 시기였다. 자세한 것은 뒤쪽에서 제대로 지면을 할애해서 이야기해야 할 것 같다.

이런 이사장과 함께하는 상황에서 9기 위원장 선거가 2020년 겨울에 치러졌다. 다른 어떤 때보다 극심한 노사갈등을 겪고 있는 시기라 섣불리 선거에 출마하겠다는 사람이 없었다. 누군가는 이 자리를 이어나가야 했고 1,700 조합원을 책임져야 했기 때문에 8기 집행부에서 수석부위원장을 역임하던 황동준(김경우 사무처장)이 위원장 출마의사를 결단했고 그렇게 위원장 선거는 다시 단선으로 치러졌다. 다행히 88%라는 압도적인 지지를 기반으로 9기 집행부는 그 임기를 시작했다. 얼음장처럼 절대 깨지지 않을 것 같이 냉각된 노사관계는 9기 집행부의 임기 첫 해에도 큰 변화가 없었고 결국 이사장이 퇴임하고 나서야 노사 관계는 새로운 이사장과 함께 변화의 국면을 맞이하게 되었다. 그렇게 9기 집행부는 지금까지 노동조합을 이끌고 있다.

2. 9기 집행부! 어떻게 구성되었을까?

2020년 겨울, 9기 위원장 선거

우리 공단과 노동조합에 대한 소개부터 노동조합의 역사를 생각나는 대로 정리하다보니 시작이 많이 길어진 것 같다. 기왕 이야기를 시작했으니 지금 집행부를 이끌고 있는 9기 집행부의 탄생비화를 조금 더 정리를 해보고 싶다. 특히, 아무도 선뜻 노동조합을 하려고 하지 않는 요즘 시대에 도대체 위원장 선거에는 어떻게 출마하게 되는지 그 과정이 궁금하지 않은가? 이야기는 2020년 11월의 선거준비부터 시작해야 할 것 같다.

민간기관, 공공기관 할 것 없이 노동조합 선거는 조합원들의 가장 큰 이슈 중 하나임은 분명하다. 그리고 어느 노동조합이나 그렇겠지만 기존 집행부에서 후보를 위원장 선거에 내세우는 것은 어쩌면 당연한 관례이다. 이렇게 당연한 후보 외에 또 다른 후보가 없다는 것은 이전 집행부에서 경험한 극심한 노사갈등도 이유가 될 수 있겠지만 한 편으로는 실제로 요즘은 조합원 중에서 위원장 선거에 나오려는 사람을 찾아보기가 어렵기도 하다.

물론 우리 노동조합만의 문제는 아니겠지만 분명 과거에 비해 노동조합에 대한 관심이 줄어들었다는 것을 단적으로 보여주는 일례가 위원장 선거일 것이다. 역설적이게도 노동조합에 대한 관심이 줄어들었다는 것이 곧 노동조합을 탈퇴하는 조합원이 늘어났다는 것을 의미하는 것은 아니다. 어쩌면 조합원 개인의 입장에서 노동조합을 통해 얻을 수 있는 이익은 최대한으로 취하고 싶지만 앞에 나서서 조합원을 대변하고 조합 활동에 직접적으로 참여할 의사는 줄어들었다고 하는 것이 정확한 표현일지도 모르겠다.

이유가 무엇이든 간에 8기 집행부 임기 마지막에 해당하는 2020년 하반기에 집행부는 상무집행위원 중에서 차기 위원장 선거 후보를 추대해야한다는 생각을 가지고 있었다. 과거 사례를 보면 근로시간면제자 중에서 후보가 추대되기도 했고 근로시간면제자가 아닌 현업 업무를 하고 있는 상무집행위원 간부 중에서 추대가 되기도 했다. 이번에는 8기 집행부의 수석부위원장을 역임하고 있었던 황동준이 위원장 선거 후보로 나가기로 집행부 내에서 잠정적으로 의견이 모아졌다.

위원장 후보가 출마의사를 확실히 했으니 다음 할 일은 함께할 후보(러닝메이트)를 찾는 일이었다. 노동조합 규약 상에는 단독 후보 출마도 가능했지만 조합원을 대표하는 위원장직에 도전하고자 한다면 적어도 위원장 후보를 지지하고 함께할 러닝메이트를 구하는 것은 기본 중에 기본일 것이다. 과거에는 '위원장-수석부위원장' 입후보만 가능했으나, 최근 규약을 개정하여 '위원장-사무처장' 입후보도 가능한 상황이었다. 러닝메이트를 구하는 과정에서 지역적인 부분, 과거 노동조합 경험, 조합원내의 평판 등 다양한 사항들이 고려되었는데 최종적으로 8기 집행부에서 기획조사국장을 맡고 있던 김경우가 러닝메이트 후보선상에 올라왔다.

노동조합을 이끌어 가는데 있어서 가장 중요한 것은 최고 임원인 선출직1) 간의 호흡일 것이다. 그런 면에서 위원장 후보와 지역적 형평성 또는 성별 조합 등을 고려했지만 단지 명분을 위해서 잘 알지 못하는 두 사람이 새로운 호흡을 맞추는 것 보다는 어느 정도 서로를 알고 있는 사람이 더 효율적일 것이라는 판단이 있었다.

과거 사례를 보면 모르는 두 사람이 함께 노동조합을 이끌어 가는 과정에서 발생 가능한 시행착오와 내부 갈등을 최소화 할 수 있는 가장 안전한 방법을 선택한 것이었다. 한 편으로는 노동조합의 새로운 임기를 시작함에 있어 우왕좌왕하는 시간을 최소화 할 수 있으니 조합원에게도 이점이 있다고 할 수 있다. 당시 황동준 후보가 멀고 먼 충청도까지 운전해 가면서 차 안에서 김경우 후보를 설득했다는 여담이 있기도 하지만 김경우 기획조사국장은 장고 끝에 최종적으로 러닝메이트로서 위원장 선거 출마 의사를 확실시했고 그렇게 2020년 12월에 9기 노동조합 위원장 선거가 시작되었다. 선거는 단선으로 진행이 되었고 최종 87.8%의 찬성 득표율로 9기 집행부를 3년간 이끄는 것으로 확정이 되었다.

---

1) 우리 공단에서 유일한 선출직은 노동조합 위원장과 사무처장(또는 수석부위원장)이라는 우스갯소리가 있다. 우스갯소리이지만 사실이기도 한 것이 공단 이사장과 임원 모두가 정부에서 임명되어 오는 자리이기 때문에 실제 선출과정을 통해 뽑힌 임원은 노동조합 임원이 유일하다. 우리 조합원들의 선거를 통해 선출한 자리인 만큼 충분히 자부심을 가질 만하다.

신임 집행부 vs 집행부의 연속성, 무엇이 맞는 것일까?

사실 기존 집행부에서 후보를 내는 것은 관행이라고 할 수도 없다. 노동조합 활동 자체가 조직내 정치 활동이며 이것은 정치권에서 우리 측 후보를 내세우는 것처럼 당연한 일이다. 그러나 순수하게 조합원의 관점에서 보았을 때 '신임 집행부가 좋을까?' 아니면 '기존 집행부의 연속성을 유지하는 것이 좋을까?' 물론 경선이 될 수도 있고 단선이 될 수도 있지만 이런 부분은 차치하고 위원장 선거에서 투표권을 행사하는 조합원의 입장에서는 한 번 고민해볼만한 주제이다.

'내가 좋아하는 후보를 뽑으면 되지 집행부의 연속성이 왜 문제가 되냐'라는 생각을 할 수도 있는데 정치권의 선거와 노동조합 위원장 선거에는 결정적인 차이가 있다. 쉽게 이야기 하자면 정치권은 선거로 정치인이 교체되더라도 실제 업무를 하고 있는 정부 부처의 공무원들이 모두 교체되는 것은 아니다. 즉, 정책적인 판단과 의사결정을 하는 정치인이 새롭게 선출되느냐 아니냐의 문제이지 관련 행정 업무를 하는 사람들이 정치인에 따라서 완전히 교체되는 것은 아니라는 말이다. 만약, 선출된 정치인의 정치 성향에 맞게 모든 행정업무를 하는 실무자가 교체된다면 국가 업무가 제대로 돌아가겠는가? 그래서 공무원은 정치적 중립의 의무가 부여되는 것이 아닐까?

노동조합은 어떠한가? 위원장, 수석부위원장과 같은 최고 임원

직이 선거로 선출되기는 하지만 근로시간면제자부터 상무집행위원까지 집행부가 완전히 새롭게 구성될 가능성도 아주 높다. 물론 기존 집행부의 연속성을 가지고 있는 사람이 선출된다면 기존 근로시간면제자가 새 집행부의 일원으로 함께 할 수도 있겠지만 만약 신임 위원장이 선출된다면 완전 교체는 인지상정이다. 그런데 노동조합에 근로시간면제자 이외에 실무 업무하는 사람들이 따로 있는가? 일개 단사에서 선출직을 제외한 근로시간면제자는 실무업무를 수행하는 사람이기도 하다. 노동조합 업무에 대한 경험이 있는 사람이라면 그나마 낫겠지만 생판 처음 노동조합을 하는 사람들로 근로시간면제자가 구성된다면 어떤 일이 벌어질까?

회전문 인사라는 이야기를 들어본 적이 있는가? 사측의 인사, 보수, 경영기획, 심지어 감사까지 조직의 주요 요직에 해당하는 업무는 회전문 인사 관련 사례가 많다. 어느 조직이나 노동조합이라면 사측의 회전문 인사를 문제시 하는 인식을 많이 가지고 있을 것이다. 즉, 이 일을 하던 사람이 승진을 하거나 또는 다른 인사상의 사유로 잠시 다른 부서에 갔지만 결국에는 다시 돌아와 인사, 보수, 경영기획, 또는 감사 업무를 하는 것이다. 이렇게 사측에서 회전문 인사를 하는 이유는 크게 두 가지가 있을 수 있다. 한 가지는 조직에서 중요한 부서인 관계로 당연히 승진이 빠를 수 있다. 그렇기 때문에 이 자리를 거쳐 간 사람들끼리 밀어주고 끌어주며 조직 내 빠른 승진을 챙겨가고 이것이 이들의 카르텔을 형성해 나가는 데 중요한 미끼 역할을 할 수 있다.

또 다른 이유는 업무의 연속성이다. 조직에 큰 영향을 미치는 중요한 업무를 아무에게나 맡기지 않겠다는 것과 더불어 경험이 있는 사람이 이 일을 해야 업무의 연속성이 끊어지지 않는다는 것이다. 그렇다고 업무의 연속성이 정책적 연속성을 의미하는 것은 아니다. 특히, 우리 공단에서 위 업무들의 정책적 연속성에는 의문이 많다는 것이 노동조합의 생각이기도 하다.

어쨌든 사측은 이렇게 경험이 축적된 인력을 통해 조직을 장악하고 운영해 나가는데 이를 상대할 노동조합 근로시간면제자는 여기에 필적할만한 경험이 없다면 어떻겠는가? 설사 노동조합 간부를 역임한 경험이 있다 하더라도 직접 저런 업무를 해 보지 않은 이상 자세한 내용을 알기란 쉽지가 않다. 결국, 근로시간면제자를 하는 기간 동안 사측과 업무협의를 직접 하면서, 한 편으로는 사측의 언사에 속아 넘어가는 일이 있더라도 결국에는 경험을 통해 익혀가는 것이다.

그러나 노동조합에게 주어진 3년이라는 시간은 사측이 그 동안 축적한 시간에 비하면 턱없이 짧은 시간이다. 그래서 노동조합이 선택하는 방법은 집행부의 연속성이다. 한국노총과 같은 상급단체에 가보면 소위 직업이 노동조합 위원장이라고 불리는 사람들이 있다. 적게는 3선, 많게는 5선 이상 계속 노동조합 위원장에 도전하고 또 선출이 된 사람들이다. 물론 이런 연임 자체가 무조건 옳다고는 할 수 없다. 어떤 노동조합은 사측과 잘 맞아떨어져서 연임이 가능할 수도 있고, 또 어떤 사람은 노동조합의 선명성을 지키기 위한 자신의 의지에 따라 연임에 도전할 수도 있으며, 다른 한 편으로는 정말 조직 내 인지도가 높아 그 결과로 연임을 할 수도 있다. 이유가 어떠했든 사측을 상대해야 하는 노동조합의 업무적인 측면에서는 장점이 있을 수 있다.

과거에는 '노동조합 하는데 논리가 왜 필요하냐' '필요하면 노동조합은 그냥 떼쓰고 버티는 것 말고 할 수 있는 것이 뭐가 있냐'라는 생각으로 말 그대로 무작정 노동조합 활동을 하는 단사들이 많았을 것이다. 그러나 요즘 노동조합은 그렇지 않다. 우리 노동조합만 보더라도 단체협약을 근거로 다양한 공단의 현안에 대해 노사가 각 분야별 업무협의를 진행하는데 단순히 우겨서 되는 일은 없다. 노동조합이 원하는 것을 주장하기 위해서는 근로시간면제자는 관련 법, 우리 공단에서 벌어졌던 과거 사례, 타 단사의 사례 등 다양한 것을 공부하고 준비해야 한다. 공공기관이라 그런지 이런 것들도 말로 끝나기 보다는 노사가 자료를 만들고 자료에 포함된 문구를 앞에 두고 협의하는 일도 상당하다. 9기 집행부 출범 초기에는 종이 없는 사무실을 운영해보자는 이야기를 하기도 했는데, 결국에는 노동조합에서도 자료를 얼마나 많이 만들어내야 했는지 여전히 사무실의 복합기는 쉴 틈이 없다.

이런 사측과 노동조합 간의 특성과 업무 관련성을 고려해 본다면 선거에서 한 표를 던지는 조합원은 신중을 기할 필요가 있을 것이다. 특히, 경선인 경우에 한 후보는 기존 집행부의 연속성이라는 명분으로, 다른 한 후보는 기존 집행부의 문제점을 제시하고 비판하는 명분으로 출마를 할 가능성이 높겠지만 노동조합 근로시간면제자 경험이 있느냐 없느냐 여부에 대해서는 후보들 간의 명분 차이를 떠나 조합원 입장에서 한 번쯤은 고민해 볼 필요가 있다.

한 가지 확실한 것은 근로시간면제자 업무를 처음 시작하면 임기 1년은 사측과의 업무협의 과정에서 좌충우돌하는 경우가 대다수다. 회전문 인사로 배치한 사측의 사람들을 명분과 의지만 가지고 이기는 것이 쉬운 일은 아니기 때문이다.

근로시간면제자는 어떻게 구성될까?

위원장과 사무처장, 이렇게 2명의 선출직을 제외하고 우리 공단 노동조합은 4명의 근로시간면제자를 더 선임해야 한다. 위원장이 선거에 출마할 때 러닝메이트를 구하는 것도 쉬운 일이 아니지만 노동조합의 실무를 수행해야 할 나머지 근로시간면제자를 선임하는 것도 만만치 않은 일이다. 최근 노동조합 위원장 선거분위기에서 알 수 있듯이 나서서 노동조합 간부를 하려는 분위기가 아니기 때문이다.

여기서 두루뭉실하고 교과서적인 이야기를 하기 보다 냉정하게 조직의 현실을 이야기 해 보자면 최근 우리 조직은 절반 가까이가 여성으로 구성되어 있다. 업무에 있어 성별 차이를 나누려는 것은 아니지만 노동조합 업무에 있어서는 여성들은 하지 않으려는 분위기가 강한 것 같다. 그 이유를 정확히 단정 짓기는 어려운데 역시나 육아문제가 가장 큰 것 같다. 회사 업무하면서 가정과 육아를 돌보기도 쉽지 않은 환경인데 일단 근로시간면제자라고 하면 회사 업무를 뛰어 넘는 수준의 어떤 것이 있을 것 같다는 그런 부담도 있을 것이다.

그렇다면 나머지 50%에 해당하는 남성들 중에서 할 만한 사람을 찾아야 하는데 나이가 어리거나, 직급이 낮아도 적당하지가 않다. 보통 이런 경우에는 회사의 업무 경험이 부족한 경우가 많아 전반적인 업무에 대한 이해가 필요한 노동조합 업무를 주도해 나가기가 쉽지 않고, 때로는 노사관계에 대한 기본적인 이해도 없는 사측 간부의 무시부터 넘어서야 하는 경우도 있을 수 있다. 나이가 너무 많아도 적당하지는 않다. 나이가 많거나 입사년도가 빠른 사람들은 노동조합 간부보다는 회사의 간부가 되고 싶은 사람들이 훨씬 많기 때문이다.

나이가 적당한 사람들 중에서도 각 직급에서 소위 말하는 짬밥이 가득찬 사람들도 일단 제외다. 다른 말로 하자면 각 직급에서 승진을 앞두고 있는 사람들이다. 방만경영이다 공공기관 효율화다 해서 일부 있던 복지도 다 사라지고 임금인상도 박한 상황에서 그나마 승진이 희망이자 위로인데 승진을 앞두고 있는 시기에 다양한 장면에서 사측에 쓴 소리를 해야 하는 근로시간면제자를 할 사람은 없기 때문이다.

이렇게 다 제외하고 나면 정말 근로시간면제자를 할 사람을 찾기 어렵다. 그나마 갓 3급 차장으로 승진한 사람들이 가장 적합한 후보군인데 이마저도 지역적 여건을 고려하면 후보군은 대폭 줄어든다. 공단이 울산으로 지방이전한지 거의 10년이 되었지만 여전히 타지에서 울산으로 전입하는 비율 또는 울산에 와서 근무하고 싶어 하는 비율은 낮은 수준이기 때문이다.

그럼에도 불구하고 노동조합 근로시간면제자 업무를 해보려는 사람은 두 가지 키워드로 정리할 수 있다. 하나는 '희생'이다. 아무도 하지 않으려고 하는 분위기에서 사측 간부들을 사사건건 상대해야 하는 이 일을, 심지어 가족과 떨어져 울산이라는 외지에서 3년의 시간을 근무한다는 것은 우리 노동조합 조직에 대한 희생뿐 아니라 공단 조직에 대한 희생이기도 하다. 나머지 하나는 '의무감'이다. 그래도 근로시간면제자를 하려는 사람은 의무감이 있다. 물론 여기서 말하는 의무감은 노동조합이라는 우리를 보호할 울타리를 지켜내고자 하는 의무감일 수도 있겠지만 마치 사명감(使命感)과 같은 느낌의 거창한 의무감을 이야기한다면 너무 부담스럽다.

앞에서 언급한 우리 노동조합 역사의 숨은 이야기를 하나 더 하자면 입사동기 별로 어떤 동기들은 위원장을 배출해 냈고 또 어떤 동기들은 근로시간면제자 역할을 결국에는 해 냈다. 그러나 어떤 동기들은 자신들의 적정한 나이에 또는 공단에서 자신들의 위치가 노동조합에 대한 어떤 책임감을 보여야 하는 시기임에도 불구하고 아무도 나서지 않는 경우도 있다. 그러나 때가 되었을 때 누군가는 선출직으로 그리고 누군가는 근로시간면제자로서 역할을 충실히 수행해야 할 것이라는 시기적절한 의무감은 노동조합 근로시간면제자를 할 수 있게 만들어 주기도 한다.

이런 의무감은 후배들에게 귀감이 되기도 하며 한 편으로는 사측에 회전문인사가 있다면 노동조합은 이 역할을 해 낸 사람들끼리의 끈끈한 인간관계가 새롭게 만들어 진다. 그래서 한 번 노동조합에 발을 들이면 이 관계는 쉽사리 끊어질 수 없다. 어떤 사람은

'노동조합 간부를 했다는 이유로 승진 등에 있어서 사측의 불이익을 받을 수 있지 않느냐'는 당장의 우려 섞인 눈초리를 보낼 수도 있는데, 절대 그렇지 않다. 당연히 단체협약에는 노동조합 근로시간면제자에 대한 차별 대우 금지 조항이 있고 지금도 노동조합을 거쳐 간 선배들이 떳떳하게 승진을 해서 공단 곳곳에서 간부로서의 역할을 충실히 해주고 있다. 조직을 이끌어 보지 못하고 실무만 수행하다가 간부로 승진한 사람과 조직을 이끈 경험이 있는 사람이 간부로 승진하는 것, 학연이나 연줄에 얽매이지 않는 정상적인 회사라면 어떤 사람이 더 낫다고 판단하겠는가?

희생과 의무, 이 두 가지 키워드를 가지고 9기 집행부는 4명의 근로시간면제자를 선임했다. 3명은 차장 직책으로 갓 승진을 한 사람들이었는데 갓 9기 노동조합 위원장 선거를 마친 위원장(사무처장) 당선자들의 권유와 추천, 그리고 한 편으로는 함께 이 일을 했으면 좋겠다는 삼고초려를 통해 각 자의 임무를 수행하게 되었다. 나머지 1명은 특이하게도 자원을 한 사람이었다. 지난 몇 년간 근로시간면제자를 자원한 사람이 있었던가? 아마도 없었던 것 같다. 용감하게 자원한 용기 그 자체가 귀감이 될 만해서 직급과 나이에 상관없이 과감하게 선임했다.

그리고 마지막 조각, 상무집행위원

근로시간면제자까지 구성되고 나면 집행부라는 큰 퍼즐의 마지막 조각은 상무집행위원의 구성이었다. 우리 노동조합은 6명의 근로시간면제자 이외에 14명의 상무집행위원이 있다. 상무집행위원은 노동조합 규약 상 최고 위치에 있는 간부라고 생각하면 쉬울 것 같다. 상무집행위원들은 주1회 상무집행위원 회의 개최를 통해 근로시간면제자들이 사측과 업무협의 한 내용을 최우선적으로 공유받고 노동조합의 다양한 의사결정과정에 참여한다. 실제로 여러 중요한 사항이 상무집행위원들의 의결을 통해 결정되기도 한다.

그리고 6명의 근로시간면제자가 1,700명이나 되는 조합원들을 관리해야 하는 모든 노동조합 업무를 어떻게 다 할 수 있겠는가. 간단한 예로 일선 지부에 출장을 가도 조합원이 십수명인데 소주 한 잔씩만 주고받아도 술이 몇 잔인가? 실제 상무집행위원들은 근로시간면제자들을 보조하는 의사결정자이자 동시에 다양한 노동조합 행사에 참여하는 집행자이기도 하다.

개인적으로 7기부터 현재 9기까지 세 기수의 노동조합 집행부 생활을 경험해본 입장에서 보자면 매번 집행부는 상무집행위원을 어떻게 구성하느냐에 따라 근로시간면제자의 활동에도 큰 영향을 미친다. 예전에는 3급 이하 조합원 정기전보 전에 상무집행위원 전보를 협의하고 조합원 전보 협의가 들어갔을 정도로 상무집행위원은 전보에서 최우선시 된다. 이는 혜택이라고 할 수는 없을 것 같고 앞부터 이야기한 희생을 위한 최소한의 배려 또는 준비과정 정도로 이해하는 것이 적당할 것 같다. 전국 지부에서 상무집행위원 직책 수행을 위해 울산으로 모이는데 이 정도 전보 협의는 해야 하지 않겠는가?

그러나 최근 공단 구성원의 울산 근무 기피현상이 심각한 상황이다 보니 전국의 우수한 노동조합 인재를 본조로 유입시키는데 어려움이 있는 것이 현실이다. 그 수준이 얼마나 심각한가 하면 승진이 공단의 가장 큰 이점 중 하나임에도 불구하고 본부에 오는 것을 꺼려할 정도이다. 승진 유인책도 이런 상황인데 하물며 희생을 해야 하는 노동조합 간부는 말해 무엇 하겠는가?

그래서 9기 집행부에서는 가장 공을 들였던 것이 근로시간면제자 선임이라고 한다면 상무집행위원 선임은 타지역 전보를 최소화하는 차원에서 기존 부산, 경남, 울산지역에서 근무하는 조합원 중심으로 노동조합 활동을 성실히 수행할 수 있는 사람으로 선임을 진행했다. 이렇게 마지막 퍼즐을 맞추고 9기 집행부는 2021년 1월 본격적으로 출범했다.

3. 지부간부 운영체계와 역할

집행부의 첫 번째 임무, 대의원대회

대의원대회는 노동조합의 사업과 예산을 결정하는 중요한 의사결정 기구이다. 전체 조합원이 집결하는 총회라는 더 큰 의사결정 기구가 있지만 전체가 한 자리에 모인다는 것은 쉽지 않은 일이다. 전체 조합원이 함께 의사결정을 해야 할 만큼 중요한 사안이 있으면 당연히 한 자리에 집결해야 하겠지만 어쨌든 다 같이 모인다는 것이 비효율적인 일임은 분명하다. 그래서 대의원 이라는 직책이 노동조합 조직에는 있다.

우리 노동조합은 설립 후 이제까지 조합원 10명 당 1명의 대의원을 선출하고 임기는 2년으로 운영해왔다. 최근에는 대의원 선출 인원이 적정한 수준인지에 대한 고민이 있었는데 이 부분에 대해서는 따로 이야기를 해 보자. 노동조합이 한 해의 사업과 예산을 집행하기 위해서는 대의원대회를 통해 전체 대의원의 심의와 의결 과정을 거쳐야 한다.

9기 집행부가 출범하고 가진 첫 번째 큰 행사는 대의원대회였다. 원래 방식은 전국 약 160여명 규모의 대의원들이 한 자리에 모여 보고사항과 의결사항에 대한 논의를 하고 표결을 진행해야 하지만 안타깝게도 때는 2021년! 코로나가 한창인 시기라 대면으로 대의원대회를 개최하기가 불가능했다. 다행히 2020년(8기 집행부 임기 3년차)에 이미 비대면 대의원대회를 개최한 경험이 있었고 이때 당시 수많은 노동조합 단사에서도 비대면 대의원대회를 개최하고 온라인 표결을 진행하고 있었던 관계로 첫 번째 대의원대회는 비대면으로 진행이 되었다.

대의원대회는 집행부의 여러 역할에 대한 견제의 장이 되기도 하고 더 나은 노동조합 활동을 위한 토론의 장이 되기도 해야 한다. 과거 대의원대회를 상기해 보면 올 해 예산은 왜 그렇게 편성되어 있는지, 작년 사업은 제대로 진행된 것이 맞는지, 또는 회계 감사 보고 사항에 대해 각종 의문을 제기한다든지 다양한 질의응답이 오고 간다. 일부 다른 단사에서는 여전히 박수로 안건을 통과

시키자는 의견을 제시하는 사람도 있는 것으로 알고 있다. 지금 생각하면 조금 우습기도 한데 사실 과거 우리 노동조합 대의원대회에서 실제 벌어졌던 모습이기도 했다.

대의원대회가 치열한 토론의 장이 되는 이유가 몇 가지 있겠지만 가장 큰 이유는 무엇보다 집행부가 계획한 한 해 예산이 곧 조합원의 조합비이기 때문이다. '피 같은 조합비'라는 말을 한 번쯤은 들어본 적이 있을 것이다. 우리의 권익을 보호하기 위한 노동조합이라는 조직을 운영하기 위해서 그 구성원은 조합비를 납부해야 한다. 그리고 납부한 조합비가 투명하고 제대로 사용되고 있는지에 대한 여부는 회계감사 같은 제도적인 장치를 통해서 모니터링을 하고 있지만 더 진지하고 생동감 있는 모니터링은 조합원의 직접적인 관심이다. 조합원 개개인이 조합비에 대한 개별 의견을 제시하기란 현실적으로 쉽지 않고 집행부 입장에서도 개인 단위 조합원의 의견을 다 수렴해서 사업을 추진하기란 불가능하다. 그래서 조합원 10명을 대표하고 있는 대의원들이 모인 이 대회에서 예산과 사업에 대한 치열한 토론은 상당히 중요한 절차이다.

최근 대의원대회에서는 이런 토론이 사라진 것 같아 조금 안타깝다. 자꾸 '라떼시절의' 과거 이야기들이 떠오르는데 예전 대의원대회는 순수한 견제와 토론의 의미보다는 조직내 정치적 목적에 따른 영향관계도 상당했다. 즉, 현 집행부의 반대 세력은 대의원대회와 같은 기회를 통해 집행부를 흔들고자 하는 목적으로 터무니없는 질문, 또는 취약점(그러나 사실 반대 세력이라고 해서 이런 취약점에 대한 특별한 해설책이 있는 것도 아니다)에 대한 질문을 여과없이 쏟아내어 명목은 토론이지만 서로 간의 감정싸움이 되기도 했다, 그러나 최근 우리 노동조합 내에서는 세력 간의 갈등이 눈에 띄게 사라진 상황이라 대의원대회는 정말 조용한 잔치가 되었다.

2021년, 2022년 이렇게 두 해의 대의원대회를 온라인으로 진행했고 온라인 대의원대회의 특성 상 많은 질의응답을 주고받는데 한계가 있었다. 다행히 2022년 하반기부터 국내외 코로나 상황은 상당히 완화가 되었고 마침내 9기 집행부의 임기 3년차인 2023년에는 처음으로 그리고 아주 오래간만에 대면 대의원대회를 개최했다. 전국에서 모인 대의원들의 얼굴을 직접 마주하고 진행한 대의원대회는 위원장의 기분 좋은 긴장을 불러일으켰고 대의원들이 한 자리에 모였다는 것 그 자체만으로도 마치 코로나의 종식을 축하하는 자리 같았다.

집행부는 모든 절차를 예전 선배들이 했던 것과 동일한 방식으로 준비했다. 오래간만에 얼굴을 맞대고 개최하는 대의원대회라 그런지 일부러라도 예전의 방식을 따라해 보고 싶었다. 보고안건인 회계감사 결과, 올 해 예산과 사업에 대한 심의의결 안건, 그리고 각 안건에 대한 대의원과 집행부 간의 질의응답까지 진행되었다. 예산에 대한 진지한 질문, 그리고 현재 공단의 상황에 대한 집행부의 계획에 대한 질문과 같은 조합원의 진지한 고민들이 대의원대회에서 나왔다. 코로나가 전세계를 휩쓰는 사이에도 많은 신규직원들이 새롭게 조합원으로 유입되었다. 과거의 치열한 토론 분위기는 아니었지만 젊은 대의원들의 이런 질문을 통해 미래 노동조합을 이끌어 갈 가능성을 발견하기도 했다.

물론 항상 그렇듯이 일부 터무니없는 질문을 하는 사람도 있었다. 하지만 이번 대의원대회는 노동조합에 대한 관심이 없다는 이야기가 공공연하게 들리는 분위기 속에서 꼭 그렇지만은 않다는 것을 발견한 자리이기도 했다. 그렇게 모든 절차를 마치고 보통의 노동조합 행사가 그렇듯이 그 날 저녁은 전국에서 모인 대의원들과 오래간만에 소주잔을 기울였다.

대의원 역할에 대한 고민

잠시 앞에서 못 다한 이야기를 계속하자. 현재 우리 노동조합의 대의원은 10명 당 1명을 선출하고 있다. 이렇게 연초 대의원대회를 개최하고 나면 우리 조직에서 대의원의 특별한 역할이 없다는 것은 예전부터 제기되어 온 문제 중 하나였다. 상급단체가 주도하는 투쟁집회 같은 행사가 있을 때 참여하게 되는 순서가 지부장, 사무국장, 그 다음으로 대의원이기는 하지만 이마저도 직책을 달고 있으니 참여하는 수준이다. 그래서 9기 집행부에서 고민했던 것 중에 하나가 대의원을 나름의 소통창구로 활용해보자는 아이디어였다.

9기 집행부 임기 2년차 때는 마침 대의원을 새롭게 선출해야 하는 해였고 집행부는 노동조합 역사상 처음으로 대의원 선출가이드를 제시했다. 소통창구 역할을 하기 위해 거미줄 형태의 대의원 조직이 구성될 수 있도록 일선 지부의 각 부서에 최소한 대의원 1명은 배정될 수 있도록 하는 것이 핵심이었다. 그 결과, 전국에 거미줄 조직과 같은 대의원 구성은 완료되었지만 막상 계획했던 소통 창구의 실질적인 가동은 쉽지 않았다. 임기 2년차를 맞이한 집행부 앞에는 산적해 있는 현안들이 많았고, 특히 원데이(oneday) 상담소라는 새로운 컨셉의 지부 방문 계획을 막 수립해서 시행하고 있을 때라 이 부분에 더 많은 역량을 집중해야 했었다.

임기 3년차가 시작되었을 때 원래 계획했던 취지대로 대의원 소통 창구를 제대로 가동해보고자 '대의원 소통메시지'라는 새로운 정보공유를 시작했다. 우리 노동조합은 월말이 되면 '소식지'를 전국 조합원들에게 전자문서로 배포하고 있는데 소식지는 그 달에 진행된 노동조합의 중요한 행사 및 소식을 공유하는 것이 주목적이다. 대의원 소통메시지는 소식지와는 차별화를 두기 위해 소식지에 실리는 내용보다는 상대적으로 가벼운 주제, 그리고 본조와 사측의 협의 과정에 있는 숨은 뒷이야기 등을 중심으로 조금 더 많은 노동조합의 이야기를 담아내고자 했다. 기존 소통 채널에 만족하지 않고 조금 더 많은 이야기들을 조합원들에게 전달하고자 하는 노력의 일환이었다.

새로운 시도 자체에 대한 반응은 나름 괜찮았는데 여기서 발생하는 문제는 이렇게 전파된 대의원 소통메세지가 일선 지부의 각 부서에 있는 조합원 개개인까지 제대로 전파되고 있는지에 대한 부분이었다. 대의원 본인만 내용을 알고 있는 경우가 많았고 그 다음 전파과정에 어떤 문제점이 있는지 정확히는 알 수 없지만 근로시간면제자가 일선 지부를 방문해 보면 노동조합 현안을 처음 들어본다는 조합원들의 눈빛을 접할 때마다 이 방법도 완벽하지는 않다는 생각이 들었다. 이런저런 시도와 그 결과들을 지켜보고 9 기 집행부는 대의원 운영체계 전반에 대한 고민을 시작했다.

원론적으로 시작해서 조합원 10명당 1명을 선출하는 대의원 숫자는 과연 우리 조직에 적합한가? 그리고 현재까지 상황을 지켜본 결과, 대의원 숫자가 많다고 제대로 된 역할을 할 수 있는 것인가 등의 고민이었다. 그리고 만약 개선을 해야 한다면 그 시기는 집행부 임기 3년차인 지금이라고 생각했다. 누가 차기 위원장을 맡게 되더라도 집행부 임기를 새롭게 시작하는 시점에 이런 부분을 갑자기 개선할 수는 없기 때문이다. 사람이 많은 것이 중요한 것이 아니라 한 명이 있더라도 제대로 역할을 할 수 있는 사람이 필요했다.

9기 집행부는 임기 3년차에 대의원 운영체계를 개선하기 위한 다양한 논의의 장을 전개했다. 기본적인 개선(안)은 대의원 숫자를 20명 당 1명 배정하도록 전반적인 인원을 줄이고 2년이었던 대의원 임기를 3년으로 수정함으로써 집행부 임기와 맞추는 것이었다. 그리고 대의원 전체 숫자가 줄어든 대신 역할과 책임에 대한 교육 등을 강화하는 방안을 준비했다. 2023년 6월 지부장회의를 시작으로 집행부의 안을 지부장들과 공유하고 차기 집행부가 새로운 대의원체계와 함께 시작할 수 있는 발판을 마련하기 시작했다.

논의 결과, 최종적으로는 대의원 숫자는 기존대로 유지하되 대의원 임기를 3년으로 수정하는 방안이 확정되었다. 숫자를 줄이고 역할과 책임을 강화하는 것도 중요하지만 당장에 아무도 노동조합 산무를 하시 않으려는 문위기 속에서 대의원 숫자를 반으로 술이면 그 나마 있던 지부장(사무국장)의 손발이 반으로 줄어든다는 우려가 더 컸다. 일단 더 많은 조합원의 노동조합 참여를 이끌어 내는 것이 더 중요해 보였다. 이렇게 정리된 최종안은 10기 위원장 후보의 선거공약에 포함되었다.

집행부와 지부장을 연결하는 사람, 운영위원

우리 노동조합에는 여러 종류의 간부 직책이 있는데 운영위원도 그 중 하나이다. 운영위원에 대한 이야기를 하자면 할 말이 많은데 운영위원이 우리 노동조합에서 어떤 역할을 하는 사람인가부터 이야기 해보자. 운영위원이라는 호칭은 노동조합이 설립된 시점부터 운영되고 있는 직책으로 알고 있다. 전국의 각 권역마다 1명씩 배정되는데 통상적으로 집행부가 출범하면 지부장도 새롭게 선출되어 집행부와 함께 임기를 시작하듯 운영위원 역시 동일하다. 지부장이 해당 지부 조합원의 투표를 통해 선출된다면 운영위원은 대의원대회를 통해 각 권역 대의원의 권역별 투표를 통해 선출된다.

기본적으로 운영위원은 총회, 대의원대회, 상무집행위원회와 같은 일종의 의사결정을 위한 기구의 구성원이다. 우리 노동조합 규약에는 운영위원 역할에 대해 '총회 및 대의원대회 수임사항 처리, 조합운영에 대한 방침 및 대책수립, 예비비사용 및 집행액 조정, 조합원 징계, 각종 규정의 제정 및 개정과 위원회 설치 및 해체' 등에 관한 사항을 심의·의결한다고 명시되어 있다. 상무집행위원회 정도의 기능은 아니지만 지부장회의가 지부의견 수렴 및 원활한 사업집행을 위한 기구임을 고려한다면 노동조합 간부 중에서는 상당히 중요한 직책 중 하나이다. 물론 규약에 일일이 명시되어 있지는 않지만 권역 당 1명씩 선출한다는 의미는 권역 내 현안을 총괄하고 관리해야 한다는 명분도 있다. 지부장을 포함한 권역 내 지부 간부 운영관련 사항을 포함해서 말이다.

과거에는 운영위원이 규약에서 명시되어 있는 내용에 준하는 책임감을 가지고 지부장회의를 비롯한 노동조합의 여러 회의 자리에서 다양한 의견을 개진하기도 하고 권역 내 지부장과의 연결고리를 유지하는 등 그 역할에 대한 나름의 노력과 기여들이 있었다. 심지어 대의원대회에서는 운영위원으로 누가 선출되느냐 여부가 하나의 이슈이기도 했다. 그러나 최근에는 과거와 같은 활동들이 쉽지 않은 상황이다. 몇 가지 원인들이 있는데 가장 일반적인 원인은 다른 지부간부들과 마찬가지로 운영위원 역시 나서서 하려는 사람이 없다는 점이다.

왜 스스로 하려는 사람이 없을까? 공단에서 해야 하는 본연의 업무는 기본적으로 하면서 운영위원이라는 직책에 걸맞게 해야 하는 노동조합 업무들이 그 자체로 희생만 강요하는 것으로 느껴지기 때문일 것이다. 쉽게 말해서 주어진 일과 책임에 비해 혜택은 없다는 것이다. 물론 운영위원만 그런 것은 아니다. 상무집행위원, 지부장을 비롯한 다른 간부들 역시 마찬가지 상황이다.

구체적으로 제기되는 문제점들을 보자면 시간이 지나고 세대가 바뀌면서 운영위원이라는 직책이 노동조합 조직내에서 모호한 위치가 된 부분도 있다. 지부장은 그나마 예산(지부운영비)과 조직(부

지부장, 회계감사, 사무국장 등)이라도 있지만 운영위원은 예산은 둘째 치고 그 나마 조직이라고 한다면 권역 내 지부장들인데 모두가 그런 것은 아니지만 스스로 하고 싶어 그 자리를 맡고 있는 것이 아닌 지부장들이 더 많기 때문에 운영위원 입장에서 권역 내 지부장들을 조직이라고 하기도 어려운 상황이다.

지부에 지부장과 운영위원이 함께 있는 경우에는 서로의 역할갈등으로 인해 관계가 소원해지는 경우도 있고 권역 내에서 광역본부가 아닌 지부에 운영위원이 있는 경우에는 권역 내 현안 사안에 대한 업무협의를 위해 사측의 광역본부장을 만나러 갈 수도 없는 상황이다. 운영위원 활동을 위한 복무적인 뒷받침이 없기 때문이다. 심지어 운영위원이 대의원대회에서 선출이 되기는 하지만 투표를 하는 대의원들조차 입후보한 운영위원이 누구인지도 모르는 채 어차피 할 사람이 없어 1인 후보로 나오는 상황이니 그냥 찬성표를 던지는 모양새이다.

이런 상황이니 권역 내 현안 중재 또는 조직 관리는 고사하고 본조와 일선 지부 간의 연결고리 역할을 기대하기에는 턱없는 상황이다. 지난 2년간의 코로나 상황도 이런 부분에 영향을 미쳤을 수 있으며, 몇 년 전부터 우리 공단은 여타의 다른 공공기관들과 마찬가지로 조직이 확장되면서 인력구성의 약 30% 수준이 신규직원이라고 이야기해도 될 만큼 젊은 직원의 비율이 급속도로 늘어났기 때문에 이런 인력구성의 영향일 수도 있다. 앞에서 대의원 운영에 대한 고민이 있었지만 운영위원 역시 전반적인 노동조합 조직운영 차원에서는 동일한 연장선상에 있는 고민이었다.

아직 책의 전반부가 진행 중에 있지만 이런 부분에 대한 문제제기를 하고 있다는 점에서 9기 집행부는 과거 집행부와 달리 어떤 새로운 시도를 하고 있다는 느낌이 들지 않는가? 운영위원 역시 운영방법에 새로운 변화를 꾀하고자 했다. 대의원과 마찬가지로 9기 집행부는 차기 집행부에서 새로운 방식의 운영위원 활동을 위한 발판을 마련하고자 했다. 가장 큰 방점은 운영위원이라는 직책을 아예 새롭게 꾸려보자는데 있었다. 즉, 과거 운영위원의 직책에 얽매일 것이 아니라 아예 본조의 상무집행위원 개념으로 운영위원을 운영해보고자 했다.

본조에서 이루어지고 있는 다양한 노동조합의 활동들이 각 권역에 전파되기 위해서 권역 내 누군가는 본조와 강한 연결고리를 가지고 있는 간부가 필요하다는 판단이었다. 권역 운영위원을 상무집행위원으로 격상한다면 전반적인 상무집행위원의 인원수가 늘어나게 되는데, 간부직책을 무작정 늘리기 보다는 기존 20명 수준으로 운영하던 본조의 상무집행위원은 일부 줄이고 대신 각 권역에 상무집행위원을 포진하게 하는 그림이었다.

다른 노동조합 단사도 그런 식으로 운영하는 사례가 제법 있었다. 어떤 단사는 우리 공단의 광역 상무집행위원(운영위원)급이 위원장, 수석부위원장과 함께 러닝메이트로 선거에 출마함으로써 활동의 정당성을 부여받는 사례도 있었고, 또 다른 사례에서는 지역 부위원장이라는 직책으로 중앙의 상무집행위원과 동일한 또는 그 이상의 높은 직책 개념으로 운영하는 단사도 있었다. 충분히 본조의 정책집행력을 강화할 수 있는 방안이자 동시에 권역 내 책임있는 활동을 유도하기 위해서 필요한 방안이었다. 이 내용 역시 대의원 운영방안과 더불어 노동조합 지부간부 조직개편이라는 내용으로 10기 위원장 선거 공약에 포함되었다.

지부 조합원을 대표하는 사람, 지부장

우리 노동조합에서 운영하는 전국 지부는 2023년 기준으로 36개소이다. 각 조직은 적게는 20~30여명, 많게는 100여명이 넘는 조합원들로 구성되어 있다. 물론 7개 권역으로 운영 중이지만 본부, 연구원, 교육원, 인증원, 기술원으로 구성되어 있는 울산 소재의 센터권을 제외한다면 실제 지역 개념은 6개 권역(부산권, 대구권, 광주권, 대전권, 경기권, 서울권)이다. 그리고 각 권역에는 운영위원 이외에 지부마다 지부장이 있다. 지부장을 포함한 지부간부에는 부지부장, 사무국장, 지부 회계를 관리하는 회계감사 등으로 구성되어 있다.

상무집행위원, 운영위원, 그리고 지부장까지 직책의 위치는 상대적으로 낮아지는 것 같지만 지부장은 그 지부 조합원들을 대표하는 직책이다. 상무집행위원이 임명직이며 운영위원이 대의원을 통해서 선출된다면, 지부장은 규모면에서는 작지만 위원장 선거와 마찬가지로 지부 내에서 선거를 통해 선출되는 사람들이다. 그 만큼 지부장의 역할은 상당히 중요한데 분명한 것은 조합원들과 직접 함께 생활하기 때문에 조합원들의 이야기를 가장 생생하게 알고 있고 있으며 이를 본조로 전달해 줄 수 있는 직책에 있는 간부들이라는 점이다.

예전 이야기를 하자면 지부장 선거는 지부 조합원내에서 인기투표를 하는 것과도 같은 아기자기 하지만 나름의 짜릿한 재미가 있었다. 물론 지부장 선거에서 떨어진 사람은 조금 섭섭한 마음이 있을 수도 있겠지만 그렇다고 위원장 선거에서 졌을 때 정도의 패배감은 아니다. 어떤 지부는 투표에서 이긴 후보는 지부장으로, 그리고 진 후보를 부지부장으로 선임하는 훈훈한 모습을 보여주기도 했다. 지금은 지부장 선거를 하면 도대체 누가 해야 할지 후보를 찾는데 급급하니 저런 모습들은 옛날이야기가 되었다.

운영위원의 선출과정도 조직운영 관점에서 심각한 수준이지만 최근 지부장 선출은 더하면 더 했지 덜 하지는 않다. 지부장 선거를 하면 지부 조합원 총회를 열고 그 자리에 참석한 조합원 가운데서 후보를 추천받아 선거를 진행하는 것이 기본이었는데 요즘은 그 자리에 있는 사람 중에 추천을 하는 것은 양반이다. 휴가 중인 사람을 추천하는 것은 기본이고 심지어 본인 동의도 받지 않고 후보로 추대하고 지부장으로 선출했다고 본조에 보고하는 사례도 심심찮게 발견되었다.

얼마나 이 자리가 가벼워 졌으면 이런 일들이 벌어지고 있을까? 이렇게 지부장이 선출되다 보니 집행부 임기 3년을 지부장이 함께 마치는 것은 고사하고 매년 정기전보 시기만 되면 지부장이 새롭게 선출되었다. 어떤 해에는 지부장의 절반 가까이가 교체되기도 했다. 집행부 임기가 기껏 3년인데 1년짜리로 갑작스럽게 선출된 지부장이 집행부의 정책기조를 제대로 이해할 수 있을까? 거기다 노동조합 간부를 처음해보는 사람이라면? 그냥 지부장이라는 직책만 달고 조합원들의 여과되지 않은 이야기들을 그대로 집행부에 전달하는 '전달자' 역할 밖에 수행할 수가 없다. 게다가 이유야 어쨌든 서로 하지 않으려는 상황에서 지부장이라고 선출을 했으면 최소한 제대로 대우를 해 줄 필요는 있지 않은가? 평소에는 지부 내의 다른 조합원들과 전혀 다를 것 없는 일반적인 직원 중 한 사람처럼 대하다가 막상 조합원 자신에게 필요한 것이 있을 때만 지부장이라고 찾는 사람이 된다.

더 큰 문제도 있는데 승진을 앞두고 있는 또는 승진을 바라보고 있는 조합원이 지부장을 맡는다면 어떤 일이 벌어질까? 아마 6기 집행부 때로 기억이 되는데 그 때 당시는 한국노총 사무총장 출신 이사장이 부임을 해서 그런지 노사관계가 좋았던 시절이 있었다. 당시 이사장은 지부장을 승진에 우대를 해주는 기조가 일부 있었는데 여기서 발생하는 문제점은 승진이라는 노동조합의 가장 큰 취약점(사측의 가장 큰 무기)에 그대로 노출이 된다는 점이다. 그래서 당시에는 승진을 하려면 본부에 가든지 아니면 차라리 지부장이라도 해서 1년 정도 희생봉사하고 승진을 기대해 보는 것이 어떻냐 하는 논리로 승진 차례가 된 조합원에게 지부장 자리를 권하는 분위기가 몇 년간 이어졌다.

이것도 노동조합을 존중하는 사측이 있을 때 노사관계에 수고한 부분을 고려해서 그나마 승진에 일부 우대를 해준다는 것인데 그 때의 이사장이 떠나고 이후 몇 번의 이사장이 바뀌면서 동일한 기조일 수가 있겠는가? 거기다 기본적으로 승진을 앞두고 있는 지부장이 사측과 상대가 되겠는가? 앞에서 이야기한 전달자 역할 그 이상도 이하도 아닌 어중간한 봉사만 1년간 하는 상황이 펼쳐졌다. 냉정하게 말하자면 진작 이런 상황에 대한 특단의 조치를 취하지 않은 집행부도 문제가 있었다.

9기 집행부도 출범하자마자 지부장을 새롭게 선출해야 했었고 일단은 관례대로 지부장을 선출했다. 다행인 것은 그나마 위원장과 사무처장이 예전 두 기수의 집행부를 거치면서 어떤 문제점이 있다는 것을 충분히 인지하고 있었다는 점이다. 그래서 임기 2년 차에는 한 가지 특단의 조치를 시도했는데 '지부장의 전보유예'였다. 뒤에서 전보제도에 대해 자세히 이야기를 하겠지만 여느 일반적인 공공기관들과 마찬가지로 우리 조합원의 노동조건 중에 아주 중요한 것 중에 하나가 전보이다.

근무 장소가 전국에 흩어져 있다 보니 본인의 연고를 떠나서 근무하는 비율이 전체 인원의 약 20% 정도 된다. 20%면 그렇게 많은 비율은 아니지만 막상 비연고 근무를 하는 사람들이 체감하는 수준은 그렇지 않다. 누군가는 그 20% 안에 들어갈 수 있으며 비연고 생활을 하면 최소 2년은 해야 되기 때문이다. 가족을 떠나서 혼자 생활하고 싶은 사람은 아무도 없을 것이다. 이런 상황에서 지부장의 전보유예는 파격적인 시도였다. 집행부에서 전보유예라는 카드를 꺼내 들자 의도했든 의도하지 않았든 당시 1년차 지부장을 역임하고 있는 사람들의 눈빛이 달라지는 것을 느낄 수 있었다. 분명히 하나의 혜택이 될 수 있었기 때문이다.

이후 9기 집행부의 지부장들은 2년간의 전보유예 혜택을 부여했고 확실히 예전 집행부에 비해 매년 바뀌는 지부장의 비율이 줄어든 것을 체감할 수 있었다. 그러나 이 과정에서 일부 문제(소위 말하는 먹튀)도 있었다. 집행부에서 지부장 전보유예 혜택을 들고 나왔을 때는 단순히 자리만 지키라는 의미가 아니라 혹여 승진이나 다른 개인적인 사유가 있더라도 집행부 임기 동안 지부장의 책임과 의무를 다하고 떠나라는 의도가 있었다. 하지만 본인 전보이동이 있을 수도 있는 시기에 전보유예 제도 덕분에 안정적으로 그 자리에 남는 혜택은 받고 이후 승진이나 본인의 개인적인 사유로 뒤도 돌아보지 않고 지부장 자리를 그만 두는 사람들도 일부 있었다. 사실 100%가 어디 있겠는가? 이런 부분들은 제도적인 보완 필요성을 느끼게 해주는 사례들이었다.

사무국장은 왜 막내들이 할까?

어쨌든 지부장은 전보유예를 통해 그나마 수고에 대한 약간의 보상이 되었다. 그러나 지부조직이 지부장만으로 운영이 가능한가? 본조에도 위원장을 도와주는 실무자들이 있기에 집행부가 돌아가듯이 지부도 마찬가지다. 부지부장, 사무국장과 같은 사람들이 그런 실무자의 역할을 한다. 앞에서도 이야기 했지만 노동조합의 직책이 점점 낮아질수록 점점 더 봉사와 희생만을 해야 하는 자리들이다. 특히, 사무국장이 그랬다. 어떻게 보면 부지부장은 실무적인 일을 하기 보다는 지부장의 역할을 대신한다는 개념이라 지부에서 조합과 관련된 대부분의 일은 사무국장을 통해 진행된다고 봐야 할 것이다.

사무국장은 본조에서 시행되는 여러 가지 노동조합 관련 활동의 준비 및 진행, 그리고 지부장을 도와서 지부예산 관리부터 다양한 지부 행사 등을 실질적으로 수행하는 사람들이다. 본연의 공단 업무는 그대로 하면서 노동조합 일들을 번외로 해야 한다. 지부장은 활동비에 전보유예 혜택이라도 있지만 사무국장은 정말 아무것도 없다. 요즘 시대에 이런 자리를 누가 맡으려고 하겠는가? 그래서 지부장이 우여곡절 끝에 선출되더라도 더 뽑기 어려운 것이 사무국장이다.

사무국장이 하는 일들이 노동조합의 실무적인 일들이다 보니 과거부터 직급 낮은 조합원이 이 자리를 맡는 경우가 많았다. 그런데 최근에는 이런 상황을 알고 동기들끼리 담합을 해서 누구도 이 역할을 하지 말자고 하는 이야기까지 들려왔다. 서로 하기 싫은 상황에서 동기 중 누구 한 사람을 결정하기도 쉽지 않으니 차라리 다 같이 하지 말자는 것이었다. 자꾸 '라떼 이야기'를 하면 재미가 없을 것 같긴 하지만 사실 우리도 그렇게 시작하기는 했다. 나는 2007년에 입사를 했는데 2008년 부산지역본부로 발령나고 첫 근무 날 조합 간부를 선출했는데 마치 정해져있었다는 듯이 내가 사무국장을 해야 하는 분위기였다. 직급도 낮았지만 같은 직급들 중에서 나이도 어리니 당연히 사무국장은 나였다.

특히, 사무국장에게 주어진 일들은 주로 혼자서 할 수 있는 일 보다는 조합원들이 있을 때 직접 물어보고, 확인해 보고, 그리고 알려줘야 하는 것들이 많기 때문에 대부분 일과시간에 해야 하는 일들이 많았다. 그래서 수시로 내려오는 본조의 업무지시, 각종 행사 준비 등으로 일과 시간에는 사무국장 일을 하는데 더 많은 시간을 할애해야 했고 부서에서 맡은 업무는 퇴근 후 남아서 따로 해야 하는 경우가 많았다. 지금과 마찬가지로 그 때도 사무국장은 무료봉사였다.

당시 선배들은 사무국장을 하면 다양한 사람들을 알게 되고 이렇게 인맥을 넓힐 수 있다는 점이 나중에 공단 생활에 큰 도움이 될 것이라는 말을 해주었다. 지나고 보면 틀린 말은 아니다. 그 덕분에 지금까지 노동조합 일을 하고 있으며 또 실제로 많은 사람들을 알게 되었으니까 말이다. 그러나 어디까지나 15년 전의 이야기이다. 지금도 이렇게 하는 것이 맞는 것인가에 대해서는 고민할 필요가 있었다.

9기 집행부에서는 전국에서 드러나지 않게 노동조합 일을 묵묵히 하고 있는 사무국장들을 위한 무엇인가를 해야겠다는 생각을 하고 있었고 임기 2년차에 본격적인 준비를 시작했다. 그래서 2022년 초부터 이름 하여 '전국사무국장회의' 준비가 시작되었다. 지부장회의는 조합간부라면 익숙하고 정기적인 행사이지만 전국사무국장회의는 역대 집행부 중에서 우리 집행부가 처음으로 기획하고 준비한 행사였다. 위원장 특강, 젊은 세대들이 관심 있어 하는 집단 MBTI 특강, 그리고 서로를 뽐낼 수 있는 레크리에이션까지, 그 어떤 회의와 행사보다 뜨겁고 높은 참여도를 보인

2박 3일의 행사를 마쳤다. 요즘 MZ세대는 회식을 싫어한다고 누가 이야기 했는가? 저녁시간 마다 술을 너무 많이 마셔서 도저히 근로시간면제자들과 상무집행위원들이 젊은이들의 체력과 열정을 따라갈 수 없을 지경이었다.

대의원, 운영위원과 마찬가지로 지부장과 사무국장, 그리고 직책은 있지만 구체적인 역할이 없는 부지부장과 회계감사와 같은 자리들도 정리가 필요했다. 이런 전반적인 정리가 지부간부 운영체계 개선이라는 명목으로 진행되었는데 지부장은 전보유예 제도를 더 정착시키고, 활동비는 직책수당이라는 명목으로 구체화하고 그 금액 역시 상향, 그리고 사무국장에게는 새롭게 직책수당을 부여하는 방안 등에 대한 논의가 시작되었다. 이외에도 우리 노동조합은 매년 약 50명의 조합원들을 모범조합원 연수라는 명목으로 연수를 보내고 있었는데 이 부분도 과거 10여년을 확인해 보니 원래 시작할 때의 취지와 달리 노동조합 간부 한 번 제대로 해 보지 않은 조합원들이 연수 참여인원의 50% 가까이 차지하고 있었다. 그래서 이 행사 역시 노동조합에 헌신하고 고생한 노동조합 간부들에 대한 일종의 보상방안으로 운영될 수 있도록 행사명을 '모범간부 연수'로 바꾸고, 지부장, 사무국장, 부지부장 등과 같은 지부간부가 반드시 이 연수에 포함될 수 있도록 했다.

이렇게 새롭게 정비된 제도를 토대로 전국 지부에서는 차기 지부장 선거에 임해야 할 것이다. 그리고 혜택과 그에 따르는 책임을 제대로 수행할 수 있는 사람을 지부장으로 선출하는 것은 조합원들이 판단해야 할 일이나. 누군가는 지부상 활동 그 사체에 의미를 두고 선거에 나올 것이고 또 어떤 사람은 단지 혜택만 누리고 싶어서 선거에 나올 수도 있다. 판단은 조합원의 몫이다.

2장
노동조합의 24시

　노동조합 집행부의 하루는 어떻게 돌아갈까? 근로시간면제자들은 정확하게 무슨 일을 하고 있을까? 위원장, 사무처장과 같은 선출직은 실무를 안 한다고 하던데 매일 무엇을 할까? 아무도 알려주지 않는 노동조합 근로시간면제자 생활을 한 번 살펴보고자 한다. 결론적으로는 대단한 일을 하기 보다는 조합원들이 매일 산재예방 업무를 수행하듯이 우리도 매일 해야 할 일이 있다. 단지, 그 대상이 조합원이고 조합원을 위한 일을 한다는 점에서 차이가 있을 뿐이다.

1. 근로시간면제자의 하루

첫 근로시간면제자 생활

근로시간면제자를 제외한 상무집행위원들은 보통 주1회 정도 상무집행위원 회의를 통해 공단 노사관계의 여러 현안을 공유하고 필요에 따라 노동조합의 주요 의사결정 과정에 참여한다. 그러나 근로시간면제자는 이 모든 것을 총괄해야 하는 사람들이다. 일주일 동안 있었던 사측과의 업무협의 내용을 정리해서 상무집행위원 회의 안건으로 보고해야 하며, 때로는 상무집행위원들과 함께 의사결정이 필요한 사안에 대한 사전 검토를 마치고 몇 가지 가능한 대안을 준비하기도 한다. 이런 일들은 근로시간면제자의 일상적인 일 중에 하나이다.

위원장 이하 6명으로 구성된 근로시간면제자들은 사측과 협의가 필요한 대부분의 중요한 안건들에 대한 핵심적인 의사결정을 해야 하는 사람들이다. 같은 상무집행위원이지만 근로시간면제자와 일반적인 상무집행위원과의 무게감 차이는 상당하다고도 할 수 있다. 특히, 여기서 이루어지는 의사결정에 따라 1,700 조합원들의 노동조건이 결정된다고 하면 이 무게감은 남다르게 느껴질 수밖에 없다.

집행부에서 구성된 6명의 근로시간면제자 중에서 위원장과 사무처장을 제외한 나머지는 근로시간면제자 생활이 처음이었다. 위원장은 임기를 시작하기 전에 이미 4년의 근로시간면제자 생활 경험이 있으니 나름의 경험과 노하우가 있었고, 사무처장 역시 1년 동안 근로시간면제자 생활을 한터라 '한 번 해봤다'는 수준의 경험은 있었다.

사실 근로시간면제자를 처음 시작하는 사람에게 이 자리는 상당히 어색하고 어려운 자리이다. 쉽게 이야기 하자면 2020년 12월 31일까지는 3급 이하 평범한 조합원으로(물론 상무집행위원 경험이 있는 사람도 있지만 상무집행위원이 사측을 직접 상대할 일은 많지 않다) 주어진 업무만 하던 사람이 2021년 1월 1일부터 노동조합에서 의사결정을 해야 하는, 사측으로 치자면 1급 실장/본부장급 이상의 역할을 해야 하는 사람으로 신분이 급변하는 것이다. 혹자는 신분상승이 된 것이니 더 좋은 것 아니냐는 이야기를 할 수도 있는데 영원한 신분상승이 아닌 몇 년간의 이런 신분상승은 당사자에게 엄청난 부담감을 준다.

당장 해야 할 일은 2021년 1월 2일부터 단체협약을 근거로 업무협의를 위해 노동조합 사무실을 찾아오는 1급(실장/본부장급), 2급(부장급)에게 '나는 더 이상 당신들이 그 전까지 대하던 일반적인 조합원이 아니다'라는 명확한 인식을 심어줘야 한다는 것이다. 말부터 행동까지 달라져야 했고 훈련과 연습 없이 실전 상황이 펼쳐진다. 사실 2020년 12월 중순 즈음 최종 근로시간면제자 명단이 확정되고 난 이후 위원장은 6명의 근로시간면제자들과 함께 한 자리에서 1월부터 각 자가 어떤 역할을 해야 하는지에 대한 당부를 했다. 일반 조합원일 때의 생각은 내려놓고 근로시간면제자라는 새로운 직책에 걸맞는 역할과 생각들이 행동으로 이어져야 함을 언급했다. 그러나 이런 당부를 귀로 듣고 머리를 끄덕이는 것과는 달리 연습 한 번 하지 않고 막상 이 직책에 걸맞는 행동을 하기란 쉬운 일이 아니다. 어색하지만 바로 시작해야 하는 그런 자리였다.

2021년 1월 초는 3급 이하 조합원들의 정기전보가 있는 중요한 시기였으므로 이런 걱정을 할 새도 없이 업무를 시작해야 했다. 위원장은 근로시간면제자들이 최소한의 준비를 할 수 있도록 2박 3일간의 근로시간면제자 워크숍을 진행했고 9기 집행부의 공약 검토, 2021년 계획, 실무자들의 역할 검토 등이 이루어졌다. 그렇게 첫 번째 근로시간면제자 생활이 시작되었다.

사측과의 업무협의

근로시간면제자들은 매일 무슨 일을 할까? 조합원들이 가장 궁금해 하는 부분 중 하나가 아닐까? 어떻게 보면 조합원 개개인의 시간을 할애해서 만들었다고 볼 수 있는 근로시간을 면제 받는 동안 무엇을 하고 있을까? 결론적으로 이야기 하면, 노동조합 사무실에서 놀고먹으며(옛날 말로 노동조합 하면 술이나 퍼마시고 사측과 꿍짝이나 하는) 시간을 보내지는 않는다. 오히려 노동조합 근로시간면제자는 정말 정신없는 하루를 보낸다.

일선 지부의 조합원들이라면 아침 출근을 시작으로 부서 회의를 하거나 또는 산재예방 사업을 위한 출장 일정을 잡을 것이며, 내근을 하는 경우에는 끊임없이 울려대는 전화를 받느라 정신없는 하루를 보낼 것이다. 그리고 출장을 복귀한 오후에 그 날 다녀온 보고서를 정리하다보면 어느새 퇴근 시간이 가까워져 오고 있을 것이다. 노동조합도 마찬가지이다. 단지 대상이

다를 뿐이다.

노동조합은 사업장의 전화가 아니라 본부 각 실의 업무협의 전화를 받는다. 끊임없이 노무 담당부서에서 본부 각 실의 업무협의를 위한 시간 약속을 잡기 위한 연락이 오고 실무자들은 본인이 담당하는 본부 각 부서의 주요 현안에 대한 업무협의를 수시로 진행한다. 인사, 복무, 감사, 사업물량, 복지, 심지어 경영평가까지 주제는 다양하다. 무엇이든지 조합원의 노동조건에 영향을 미치는 사안이라면 노동조합의 업무협의 주제가 된다.

이런 업무협의 결과는 공문으로 각 일선 지부에 시행되므로 근로시간면제자들에게 연락오는 또 다른 주체는 지부장을 비롯한 조합원들이다. 전국 36개 지부에서 다양한 현안이 근로시간면제자들에게 전달된다. 대부분은 상황이 이렇다는 것보다는 어떤 해결을 요하는 것이 많다. 이런 연락을 받으면 노동조합은 다시 사측을 불러서 대책을 요구한다. 이런 사이클이 하루에도 여러 번 반복되다 보면 정신없이 일주일이 지나간다.

술자리는 얼마나 자주 있나요?

번외 이야기를 잠시 하자면 노동조합 하면 꼭 따라다니는 것이 '술'인데, '근로시간면제자들은 술자리가 엄청 많지 않나요?'라는 궁금증이 있을 것 같다. 실제로 예전에 '노동조합 근로시간면제자 하는 동안 본인이 원한다면 술은 원 없이 마실 수 있다'라는 이야기를 해 준 사람도 있었다. 사실 이 말이 틀린 것은 아니다. 노동조합이 술을 마시자는데 거절할 본부 실국은 없다. 실제로 연초만 되면 본부 각 실국에서 원활한 업무협의 또는 상호 인사 차원에서 저녁식사를 하자는 연락이 많이 온다. 일선 지부를 방문하면 또 어떻겠는가? 조합원과의 술자리는 기본이다. 분기에 한 번씩 있는 지부장회의, 그 이외 수시로 있는 각종 행사와 회의, 상급단체 및 다른 노동조합 단사와의 만남까지 생각해 보면 술자리가 적다고는 할 수 없을 것 같다.

이런 자리마다 코가 삐뚤어지도록 술을 마신다면 근로시간면제자의 건강은 누가 챙겨주는가? 본인 건강은 스스로 챙겨야 하는 것이 기본이므로 당연히 조절이 필요하다. 예전에 우리 공단도 소위 말하는 '술잔 돌리기'가 회식자리에서 하나의 조직문화였다. 다행히 코로나 시절을 거치면서 술잔 돌리기는 회식자리에서 흔적도 찾아볼 수 없게 사라졌다(이런 것을 보면 조직문화 개선에 충격요법처럼 확실한 것이 없는 것 같기도 한 것 같다). 요즘 신규직원에게 내가 마시던 술잔에 술을 채워 준다면 기겁을 할 것이다. 우리도 처음 공단에 입사했을 때 그랬으니까 말이다.

'술잔 돌리기' 말고 또 다른 우리 공단의 술문화는 여전히 노동조합 술자리에서 종종 있는데, 바로 '흑주'이다. 대다수가 '흑주? 도대체 그게 뭔데?'라는 반응을 처음에 보이는데 한 번 시범을 보여 주면 기겁을 한다. 기왕 이야기가 여담으로 샜으니 흑주에 대한 이야기를 잠시하자면, 소주 1병을 맥주잔 2개에 정확히 나눠 담으면 맥주잔의 약 95%정도가 소주로 가득 찬다. 여기에 3~4% 정도를 콜라로 채우면 투명한 듯 투명하지 않은 소주와 약간의 콜라가 혼합된 영롱한 검은 색상의 술이 맥주잔을 가득 채운다. 이 찰랑거리는 술을 흑주라고 부른다. 맥주잔에 들어가는 소주의 양은 3잔에서 3.5잔 정도가 되는데 이것을 한 번에 원샷으로 마시는 것이다. 처음에는 맥주잔에 가득 찬 소주를 보고 섣불리 입을 댈 생각을 못 하는데 신기하게도 막상 입을 대면 흑주는 멈춤 없이 순식간에 목으로 넘어간다.

흑주의 유래는 여수지역에서 처음 시작되었는데 화학공장이 많은 지역이라 그런지 외지 손님들의 전남동부지사(예전 명칭으로는 여수지도원) 방문이 잦았고 찾아온 손님들과 매번 2차, 3차까지 길게 술자리를 할 수 없으니 나름 생각한 방안이 흑주였다. 한 방에 끝내는 것이다. 한창 소주잔을 주거니 받거니 하며 거나하게 취해갈 때가 흑주가 등장하는 타이밍이다. 맥주잔에 가득 찬 검은 소주의 위압감은 더 이상 2차를 가고 싶은 생각이 들지 않게 만든다. 이렇게 시작된 흑주는 우리 공단 어디를 가더라도 술자리에서 안줏거리가 되는 하나의 문화가 되었다.

9기 집행부를 하면서 만난 신규직원들도 어디서 흑주 이야기를 들었는지 모르겠지만 한 번 마셔보고 싶다는 이야기를 하기도 하고, 직렬별로 개최되는 워크숍 등의 자리에서 전국에서 모인 직원들이 흑주를 전문적으로(?) 제조해 마시기도 한다. 과하면 항상 문제가 되지만 개인적인 생각에 한 잔 정도는 분위기와 흥을 돋우는데 도움이 되니 나름 괜찮은 것 같기도 하다. 물론 취한 상태에서 흑수 2잔 이상을 마시면 이후의 상황은 보장할 수 없다.

근로시간면제자를 하면 혹주 한, 두 잔 정도 마시는 일들이 심심찮게 있다. 그러나 요즘 우리 공단에는 술잔 돌리는 문화도 없어졌고 일부러 혹주를 만들어 돌리지도 않는다. 무엇보다 9기 집행부 출범 초기에 '의미 없는 술자리는 지양하자!'라는 사무처장의 의지도 있었거니와 무엇보다 위원장이 술을 많이 안마시면 근로시간면제자들의 술자리가 그렇게 많지는 않다. 이렇게 술을 마시면 다음 날 노동조합 업무가 되겠는가!

근로시간면제자의 무게

술자리 이야기를 하니까 재미는 있는데 다시 본론으로 돌아오자. 근로시간면제자 생활이 쉽지 않다는 이야기를 많이 하는 이유가 단순히 '사측과의 업무협의 때문에 또는 조합원이나 지부장의 불평불만 때문에'는 아니다. 업무협의를 통해 내린 결정이 조합원 노동조건에 미치는 영향, 조합원의 요구사항을 해결해야 하는데 현실적인 한계를 느낄 때, 그리고 근로시간면제자 6명이 200~300여명이 넘는 사측의 조직적인 부분을 상대해야 하는 것과 같은 묵직한 '무게감' 때문일 것이다. 그렇기 때문에 근로시간면제자의 단결과 화합은 집행부의 생사를 결정짓는 중요한 요소이다.

과거 집행부에서는 위원장 선거 때마다 세력구도가 있다 보니 선거에서 당선된 위원장은 근로시간면제자를 구성할 때에도 함께 원팀이 된 세력에 맞게 근로시간면제자를 구성하는 경향이 있었다. 예를 들어, 영호남이 원팀이 되어 선거를 치렀다고 한다면 근로시간면제자 1명은 영남에서, 다른 1명은 호남에서 임명하는 식이었다. 단선으로 선출이 되더라도 지역적 대표성을 가질 수 있도록 각 권역에서 적절하게 근로시간면제자들을 임명하기도 했다. 이는 근로시간면제자가 어떤 대표성을 가질 수 있다는 점에서 장점은 있지만 단점도 있다.

앞에서 이야기 했지만 근로시간면제자에게는 연습이 없다. 노동조합 업무도 익숙하지 않은 상황인데 서로의 호흡이 제대로 맞지 않는 상태에서 다양한 의사결정 과정에 놓이게 된다면 자칫 근로시간면제자 간의 갈등상황이 벌어질 가능성도 상당히 높다. 술자리에서 마음이 맞는 것과 일을 할 때 마음이 맞는 것은 전혀 다른 문제이기 때문이다. 그래서 근로시간면제자의 선임과 운영에 있어서 가장 조심해야 하는 것이 근로시간면제자 간의 패거리 문화 또는 갈등상황이었다. 매일이 의사결정의 연속인데 서로 자신의 주장만 펼치는 답이 없는 토론만 지속하고 있다면 어떻겠는가? 각자가 주장하는 이유는 있겠지만 때로는 양보해야 할 때도 있고 때로는 상대방을 존중해줘야 할 때도 있다. 자신의 생각이 무조건 맞는 것은 아니기 때문이다.

이런 갈등을 조심해야 하는 또 다른 이유는 근로시간면제자의 갈등에 따른 반사이익을 누릴 사람이 바로 사측이기 때문이다. 사측에는 이득이지만 노동조합은 무엇인가를 잃어버리는 것 같은 상황이 전개되기 쉽다. 일테도 여러 가지 결정해야 될 사안들이 많은데 노동조합의 신속한 의사결정이 이루어지지 않는다고 사측이 무한정 기다려 줄 리는 없다. 만약 노사가 합의를 해야 한다면 사측이 독단적으로 진행할 수 없겠지만 협의는 다르다. 어떤 사안에 대해 자료만 들고 와서 설명했다 하더라도 협의했다고 억지를 부릴 수 있다. 물론 이런 일이 벌어지면 노동조합에서 절대 가만히 있을 수 없겠지만 그 만큼 협의는 여러 가능성을 열어두고 있는 단어이기도 하다.

근로시간면제자 스스로 갈등 상황에 부딪히는 경우도 있지만 어떤 때는 사측에서 근로시간면제자 간의 갈등을 일부러 조장하기도 한다. 예를 들어, A라는 근로시간면제자에게는 a라는 사측 담당자가 와서 달콤한 감언이설을 흘리고, B라는 근로시간면제자에게는 b라는 사측의 담당자가 와서 또 다른 이야기를 흘리는 것이다. 근로시간면제자들이 단결된 마음가짐을 가지고 있다면 사측의 이야기에 흔들리지 않겠지만 만약 서로의 생각이 다르다면 충분히 흔들릴 수 있다.

한 가지 문제는 노동조합의 의사결정에 사측이 무조건 따른다는 생각을 해서는 안 된다는데 있다. 즉, 어떤 결정을 내리고 나면 일관된 목소리로 밀고나가는 뚝심이 필요한데 때로는 이런 뚝심을 부리지 못 하고 스스로 무너지는 경우도 있기 때문이다. 개인적인 성향도 영향이 있을 수 있지만 그 만큼 노사 간의 협의라는 것이 쉬운 것은 아니라고 이야기하는 것이 더 정확할 것 같다.

이런 생각들을 계속 이어가다보면 답을 찾기가 너무 어려운 것처럼 보이지만 사실 답은 간단하다. 근로시간면제자들이 '일치단결'하면 된다. 즉, 노동조합이 단결하면 모든 것은 간단해진다. 노동조합은 조합원의 권익을 위한 일관된 목소리를 내면 되고 사측이 이를 해결하지 못 하면 투쟁하면 되기 때문이다. 그리고 이런 일관된 목소리에는 분명한 명분이 있다. 노동조합이 갈등하면 노사관계의 공은 항상 노동조합에 넘어와 있고(노동조합이 매번 결정해야 되고), 노동조합이 단결하면 노사관계의 공은 오히려 사측으로 넘어갈 가능성이 크다(회사가 결정하도록 만들면 된다).

그래서 9기 집행부는 근로시간면제자를 구성할 때 가장 우선시했던 것이 근로시간면제자간의 갈등을 예방할 수 있는 구도를 만드는 것이었다. 직급, 나이, 지역 등을 고려했지만 노동조합 업무를 하는데 있어 기본적인 업무능력이 되며 남에게 피해를 주지 않는 책임감 있는 사람, 그리고 무엇보다 서로를 잘 아는 사람이어야 했다.

얼마 전 우리 공단 최고 격오지에 해당하는 서산을 방문한 적이 있는데 그 때 '힘든 근로시간면제자를 왜 하냐'는 질문에 대해 '이 일이 주는 의미가 있다'라는 이야기를 한 적이 있다. 우리 공단의 미션이 산업재해 예방인데 우리 직원들은 왜 공단에 다니고 있으며 이 일을 하고 있겠는가? 그것은 이 일이 주는 의미가 있기 때문이다. 노동조합 업무 역시 마찬가지다. 힘들어 보이기만 하고 피곤할 것만 같지만 관점을 어디에 두느냐에 따라 재미가 있고 의미가 있을 수 있다.

산재예방 미션을 수행하는 조합원들이 힘들지 않게 일할 수 있도록 도와주고, 때로는 개인적인 어려움에 처한 조합원들을 챙겨주며, 그리고 노동조합만이 할 수 있는 즐거운 이벤트를 만듦으로써 이 조직의 구성원들이 기뻐하는 모습을 보는 것이 바로 의미이다. 그리고 아무도 노동조합에 관심이 없는 것처럼 보이지만 사실은 그렇지 않다. 조용히 지켜보고 응원하고 있는 조합원들이 훨씬 많다. 알고 보면 우리 조합원 모두가 함께 하고 있기 때문에 이 일을 주도하는 근로시간면제자들은 그 속에서 의미를 찾을 수 있다.

앞에서 이야기 했지만, 다시 한 번 강조해도 지나치지 않은 것이 술자리와 일을 할 때는 분명히 다르다는 것이다. 이렇게 노동조합 근로시간면제자에게 주어진 무게감은 일치단결되어 서로에 대한 존중으로 주어진 역할을 제대로 수행해 낼 때 줄어든다. 그리고 한 편으로 실무를 하는 근로시간면제자들이 책임을 지는 사람은 아니지 않은가? 정치판에서 책임은 선출된 사람들에게 있다! 그리고 노동조합을 통해 더 큰 시야로 공단을 바라보는 경험을 한다는 것, 매일 챗바퀴 돌아가는 산재예방 사업에서 벗어나 한 번쯤은 도전을 해 볼만 한 멋진 일이다.

2. 공공기관 노동조합 위원장의 역할이란

공공기관 노동조합의 위치, 활동, 그리고 관계

우리 공단과 같은 공공기관의 노사관계는 정부에서 임명한 기관장과 노동조합 위원장으로 대표 되지만 일반 사기업의 오너와 달리 정부에서 임명한 공공기관장의 권한은 뚜렷한 한계가 있다. 특히 우리 공단은 위로는 청와대, 고용노동부, 국회, 기재부 등 눈치 보아야 할 곳이 한두 군데가 아니다. 여태까지 우리가 경험해 본 어느 공공기관장도 중앙정부 및 상급기관에 제 목소리를 내는 경우를 본 적이 없다. 설령 근로조건이 악화되고 조직마저 위태로울지라도 '시키면 시키는 대로' '하라면 하라는 대로' 하는 것이 공공기관장의 숙명이라고도 할 수 있을 것이다.

한 마디로 공공기관장은(엄연히 따지면 공무원은 아니지만) 철저한 상명하복에 충실한 공무원이라고 보아야 할 것이다. 그렇기 때문에 노동조합 간부생활을 하면서 공식 또는 비공식적인 자리에서 이사장에게 많이 들었던 이야기중 하나는 '저는 힘이 없습니다'였다. 정확한 이 말의 의미는 내부에서는 각종 결정권과 인사권을 가지고 조직을 주무르며 왕 대접을 받지만 대외적으로는 아무런 영향력이 없다는 것이다. 특히 산업안전보건정책으로 인한 공단조직 기능에 유불리가 생겨도 또는 정부 및 국회의 일방적인 업무지시로 구성원의 심각한 근로조건의 악화가 생겨도 우리 공단 기관장은 외부에서 말 한마디 못하고 오히려 내부를 설득하려고 할 것이다. 그나마 내부를 설득하려는 노력이라도 한다면 다행이다. 이러한 공공기관의 현실 때문에 노동조합의 대외적인 활동은 매우 중요하다.

노동조합은 조합원의 이익을 위해 결성된 자주적인 조직으로서 '노동 3권'을 무기로 목소리를 내고 행동할 수 있다. 우리도 중앙부처, 특히 고용노동부, 기재부 등의 막강한 영향력 아래에 놓여있으며 '공공기관 운영에 관한 법률'에 의해 운영되는 관계로 국회와도 밀접한 관련이 있다. 특히 국회 환경노동위원회의 국정감사 수감기관이므로 환경노동위원회의 국회의원들은 공단에 막대한 영향을 미치고 있다.

그렇기 때문에 노동조합은 중앙부처 고용노동부 등을 상대로 싸워야 하는 경우도 있지만 조직과 조합원들의 이익을 위해서 중앙부처, 국회 등과 원만한 관계를 유지하여 우리의 목소리를 관철시키는 것이 노동조합 대외활동의 핵심 중의 하나이다. 공공기관 노동조합 위원장은 내부적으로는 정부에서 임명된 기관장과의 노사관계를 풀어야 하고 외부적으로는 노정관계를 통해서 우리 조직을 지켜내고 조합원의 권익을 극대화 할 수 있어야 한다. 이 모든 관계에 있어서 우리 노동조합의 힘만으로 되지 않을 때는 상급단체의 힘을 빌려야 할 때가 있다. 그래서 위원장의 대외활동 중 많은 부분이 상급단체와도 연결되어 있고 상급단체 활동에 많은 시간이 할애되기도 한다.

우리 단사는 한국노총 소속이며 연합조직으로는 공공연맹에 속해 있다. 같은 상급단체 소속이 아니더라도 기관별 성격이나 이해관계에 따라 협의회 등을 통해 우리의 이익달성을 위한 목소리를 내기도 한다. 예를 들면 울산 이전 공공기관들의 정주 여건 개선을 위한 '혁신도시 노동조합 대표자 협의회', 국민의 생명과 안전을 책임지고 있는 비슷한 성격의 안전관련 공공기관 노동조합들이 연대하고 있는 '전국안전기관 노동조합 대표자 협의회', 그리고 고용노동부 산하기관인 근로복지공단, 한국 산업인력공단 등과의 연합단체인 '노동부 산하 노동조합 대표자 협의회(노대협)'가 있다.

　노동조합에서 가장 중요한 활동 중의 하나는 연대다. 한 개 단사의 목소리는 미약할지라도 여러 단사가 모여서 연대하는 힘은 꽤 좋은 효과를 발휘할 때가 많기 때문이다. 가령 우리 단사가 중앙부처인 고용노동부 장·차관과의 면담을 요청하는 것과 노대협을 통해 전달하는 것을 비교하면 받아들이는 입장에서도 무게감이 다르기 때문이다. 위에서 언급한 활동 이외도 공공기관 노동조합 위원장의 대외활동은 무수히 많으나 여기서는 9기 집행부 위원장의 경험과 우리 단사의 사례를 통해 공공기관 노동조합 위원장이 할 수 있는, 그리고 해야 하는 여러 가지 대외활동들을 소개하고자 한다.

위원장이 해야 할 일들과 조직에 미치는 영향

노동조합 선거를 통하여 당선된 위원장은 새 집행부 출범 전·후 해야 할 일 중 하나가 대외적인 당선인사와 취임인사일 것이다. 이 말은 대외적으로 우리 노동조합과 관련 있는 여러 외부 인사들과의 만남의 시간을 가져야 된 다는 것이다. 경험으로 비추어 볼 때 나는 위원장 당선되기 전에 수석부위원장 경험이 있어 안면이 있는 대외 인사들이 꽤 있었다.

3년 전 기억을 더듬어 보면 위원장에 당선되고 함께 당선된 사무처장과 우선 한국노총 산하 공공연맹 위원장과 한국노총 울산지역본부 의장께 인사를 드렸고, 이후 현 위원장이기도 한 한국노총 김동명 위원장을 뵙고 인사를 드렸었다. 그리고 울산 혁신도시 내에 있는 여러 타 단사 노동조합을 다니며 위원장님들과 정식으로 인사를 나누었던 기억이 난다. 이 정도 하면 어느 정도 필수적인 주변 노동계 인사들과는 교류를 시작하게 되었다고 할 수 있다. 물론 3년의 임기를 하면서 더 많은 노동계 인사들을 만나게 된다. 노동계 인사는 위원장이라는 일을 같이 하고 있다는 것 이외에도 동종의 일을 한다는 것 그 자체로 상당한 동질감을 느끼게 된다.

다음으로는 국회에 우리 공단의 소관위원회(환경노동위원회) 의원들을 찾아뵙고 인사를 드리며 우리 단사 현황설명과 현안을 공유하기도 한다. 환경노동위원회 국회의원들은 우리 같은 공공기관에 중요한 역할을 한다. 공공기관을 감독하기도 하고, 필요에 따라는 인력, 예산 등에 막강한 영향력을 미치기 때문이다. 또한 공단 사업의 근거가 되는 산업안전보건법 입법 활동 역시 주로 환경노동위원회 의원들이 하기 때문에 그들이 발의하는 법안 하나하나가 조직에 미치는 영향은 대단하다. 그리고 해마다 국정감사를 통해 운영전반에 대하여 공단을 지도/감독하기도 한다. 그래서 노동조합 위원장은 여야를 막론하고 환경노동위원회 의원 및 의원실 관계자들과 활발한 교류가 중요하다.

이러한 유대관계를 통하여 때로는 사측에서 해결하지 못하는 일들을 노동조합에서 해결했을 때 그 성취감은 실로 작지 않다. 일례로 현재 공단은 고용노동부 근로감독관과 함께 수십년 중대재해 조사를 합동으로 수행하고 있지만 산업안전보건법 어디에도 중대재해 조사에 대한 공단의 참여 근거가 없다. 그래서 관련 업무를 수행할 때 사업장에서 법적근거를 따져 물으면 우리 직원들은 할 말이 없다는 것이 현실이다. 이런 부분을 해결하기 위해 9기 집행부는 대국회 활동을 전개하여 2023년 입법 발의를 했고 올해 말 국회 통과를 기대해 보고 있다. 뿐만 아니라 정부예산에서 제외된 공단 예산도 의원실과의 직접 소통을 통해 추가되는 경우도 있었다. 작년 일선기관 청사 이전, 그리고 최근 우리 공단의 인재개발원 설립 시작을 위한 연구용역 예산(안) 추가가 좋은 예라고 할 수 있을 것이다.

그리고 우리 단사는 한국노총 공공연맹 부위원장으로서 중앙집행위원회의의 의결사항 등에 대한 의결권을 행사하기도 하고 한국노총 및 공공연맹의 각종 행사 및 단체행동 등에 참여하기도 한다. 사실 우리 단사 정도 규모가 되면 상급단체의 지원이 자주 필요한 것은 아니지만 상급단체의 역할은 단사의 결정적인 어려움이 있을 때 보험과 같은 효과를 기대한다고 볼 수 있다. 그리고 내가 위원장으로서 역할을 하는 기간은 중대재해처벌법(이하 중처법) 전면시행으로 중대재해예방에 대한 사회적 관심이 증폭된 시기이기도 하였다. 이 과정에서 한국노총을 비롯한 정치적 우군의 도움으로 경제사회노동위원회 활동(뒤쪽에서 조금 더 자세히 설명할 예정이다)을 통해 공단 기능에 미치는 외풍을 막기도 했다고 자평한다. 이러한 노동조합의 활동들은 단순히 조합원의 권익과 노동조건 향상에만 국한되는 것이 아니라 공공기관 경영진이 할 수 없는 일을 노동조합이 나서서 해내는 좋은 사례들이다.

의사결정자라는 직책에 맞는 역할

위원장과 사무처장이 다른 근로시간면제자들처럼 매일 실무 업무협의를 하지는 않는다. 그래도 우리 노동조합을 대표하는 최고 임원 2명이 사측의 실무자들이 가지고 오는 현안에 대해 업무협의를 할 수는 없지 않는가? 이사장과 임원진이 실무 업무를 하지 않듯이 말이다. 무엇보다 위원장은 우리 노동조합의 최고 의사결정자이므로 다양한 현안에 대한 의사결정을 한다. 그러나 모든 것이 위원장을 통해서 의사결정 되는 것은 아니다. 즉, 사무처장 이하 5명의 근로시간면제자들 역시 맡은 분야에서 중요한 의사결정 주체이기 때문에 실무자들의 판단이 가능한 것은 실무선에서 기본적인 의사결정이 이루어지고 위원장에게 보고하는 것으로 마무리되는 것들도 많다.

앞에서도 언급했지만 9기 집행부는 사무처장이 수석부위원장 역할을 함께 수행했다. 아마도 우리 노동조합에서 수석부위원장을 선임하지 않은 첫 번째 사례일 것이다. 그래서 사무처장은 위원장을 보좌하는 노동조합 제2의 의사결정자이지만 9기 집행부에서는 약간은 실무자적 역할과 노동조합 임원의 이중적인 역할을 수행했다. 통상적으로 수석부위원장이 있다면 사측과의 카운트파트너를 정하는 것은 간단해진다(위원장-이사장/수석부위원장-이사급 임원/사무처장 등 근로시간면제자-경영지원실장 등 본부 실, 국장 간부). 반면 실무업무를 하는 근로시간면제자 입장에서는 의사결정 단계가 늘어난다는 단점이 있다(근로시간면제자-수석부위원장-위원장). 과거 위원장-수석부위원장 체계의 장단점을 종합적으로 고려했을 때, 의사결정 과정을 단순화 하고 실무선을 강화하는 것이 노동조합 업무를 보다 신속하고 효율적으로 추진할 수 있을 것이므로 결론적으로 조합원들에게 돌아가는 이점도 더 클 것이라는 생각에 '위원장-사무처장' 체계로 출범을 했다.

보고절차가 간단해졌기 때문에 의사결정 속도가 빠르다는 점과 실무자 역할을 사무처장이 일부 보조함으로써 업무처리 속도 역시 빨라졌다는 점은 장점인데 반해, 사무처장은 이사급과 경영지원실장 급을 동시에 상대해야 하는 역할 중복은 자연스럽게 위원장의 역할 여시, 위원장-이사장/이사급으로 함께 중복되는 문제가 있기는 했다. 이러한 역할의 중복이 내부적으로 특별한 문제가 되는 것은 아니었는데 굳이 한 가지 문제를 꼽자면 외부활동을 할 때는 우리 스스로 직책을 낮추는 바람에 선출직임에도 불구하고 상대적으로 낮은 위치에 있는 것 같은 인상을 준다는 점이 있었다.

1,700 조합원이 준 권한과 역할

앞에서 언급한 노동조합 활동의 핵심이 대외활동에 있음은 다시 강조해도 지나치지 않다. 그리고 그 일을 주로 하는 것이 노동조합의 위원장이다. 1,700 조합원들의 지지를 등에 업고 한 조직을 대표하는 자가 바로 노동조합의 위원장이기 때문이다. 특히, 산재예방 사업이라는 국가적인 중요한 정책과 사업을 수행하는 기관인 우리 공단은 이런 부분에서 노동조합의 역할이 중요하다. 우리가 예전부터 선배들로 많이 들어왔던 말이 있다. '공단과 산재예방 사업을 지켜나가고 있는 사람이 누구인가? 경영진인가? 1, 2급 간부들인가? 아니다. 가장 오랫동안 공단에 근무하고 산재예방사업을 직접 수행하고 있는 조합원들이 공단과 산재예방사업을 지키고 있는 사람들이다' 라는 이야기가 바로 그것이다.

경영진? 기껏해야 3년 있다가 떠날 사람들이다. 1급과 2급 간부들? 3년보다야 더 근무하겠지만 역시나 근무할 날보다 집에 갈 날이 더 가까운 사람들이다. 물론 공단을 경영할 권한과 산재예방 사업을 이끌어나가야 할 책임이 있는 사람들이지만 이들에게 모든 것을 맡길 수는 없다. 때로는 잘못된 정책이 나올 수도 있고 그 잘못된 정책을 비판 없이 맹목적으로 수행하는 것이 사측의 간부들일 수 있기 때문이다. 또 실제로 그런 것들을 우리 노동조합은 직접 보고 경험하기도 했다.

조합원들이야 말로 산재예방 사업의 현실을 가장 정확하게 알고 있고 온 몸으로 현장에서 이것을 수행하고 있는 사람들이다. 조합원들의 요구를 받아 사측을 견제하고 때로는 정부정책의 방향성을 제시하는 것이 우리 노동조합이며 그 최선봉에 서 있는 사람이 위원장이다. 그렇기 때문에 위원장의 중요한 역할 중 하나는 대외활동을 통해 우리 공단이 바른 길을 갈 수 있도록 견제와 균형을 맞추는 것이고 올바른 산재예방 사업을 수행할 수 있도록 함으로써 조합원들이 업무의 보람을 느낄 수 있게 하는 것이다.

사측은 이런 노동조합의 대외활동을 물밑에서 지원하기도 하지만, 때로는 노동조합의 대외활동 때문에 뒷통수를 맞을 수도 있다. 이는 조합원들이 추구하는 바와 사측의 간부들이 추구하는 바가 같거나 다를 때 충분히 벌어질 수 있는 일들이다. 그래서 노사관계에 있어 서로의 소통과 신뢰가 중요한 것이다. 이제 우리 노동조합은 대외활동에 있어서 무시할 수 있는 수준은 아니다. 위원장은 떳떳이 국회를 방문해 공단의 바른 길을 제안할 수 있는 위치에 있으며 1,700 규모의 단사로써 상급단체에 조합원의 목소리를 낼 수 있다. 이런 활동이 가능하게 된 것은 위원장이 잘나서 그런 것이 아니라 23년이라는 노동조합의 시간 동안 선배들이 두

쟁해서 쟁취한 결과물들, 그리고 지금의 조합원들이 위원장의 뒤를 지지하고 있기 때문이다.

3. 미묘한 선을 넘나드는 노사관계

노무담당 부서와 노동조합

노동조합이 있는 회사라면 어디든 노무업무를 담당하는 부서가 있다. 우리 공단은 경영지원실(과거 운영지원실)에서 그 역할을 하고 있다. 인사, 서무, 회계, 보수 등 경영지원실에서 맡고 있는 여러 가지 업무가 있지만 노사관계를 총괄하는 것 역시 중요한 업무 중 하나이기 때문에 당연히 노무 업무를 담당하는 차장, 부장이 있다. 이렇게 회사에서 노동조합을 담당하는 부서가 있는 이유는 성실하고 신뢰성 있는 노사관계를 만들어가고자 하는 사측의 의지가 반영된 부분도 있겠지만 한 편으로는 그 만큼 노사관계에서 다루어야 할 현안사안들이 많기 때문일 것이다.

노사 간의 대화는 위원장과 이사장간의 대화가 전부는 아니기 때문에 사무처장을 비롯한 실무선에서 노사 간에 주고받는 의사소통, 그리고 무엇보다 노동조합에서 어떤 이야기를 하고 있는지가 사측의 보고라인에 정확하게 보고되는 것이 아주 중요하다고 생각된다. 그러나 이제까지 경험을 보면 노무업무를 누가 담당했느냐에 따라 이런 노사관계를 대하는 회사의 분위기는 많이 달랐던 것 같다. 어떤 때는 실무에서 한 이야기들이 노무차장, 노무부장 선에서 끊겨버리는 경우도 있었고 또 어떤 때는 노무부장이라는 사람이 일 년 동안 노동조합 사무실에 몇 번 오지도 않는 경우도 있었다. 노동조합은 노무부서에서 노동조합을 대하는 수준이 결국 이사장이 노사관계를 바라보는 시각이라고 생각할 수밖에 없다.

9기 집행부가 출범하고 첫 번째로 했던 일 중 하나는 노동조합 사무실을 옮기는 것이었는데 그 이유는 우리 노동조합의 위상과 관련이 있다고 생각했기 때문이다. 위에서 말한 노무부서의 저런 태도가 비단 노무부서에만 국한될까? 절대 그렇지 않다. 앞에서 이야기 했듯이 사측이 노동조합을 바라보는 시각이며 이사장이 노동조합을 생각하는 방식이다. 부끄러운 이야기이지만 우리 노동조합은 그 역사와 공단 내 역할에 비해 변변치 못한 공간에서 사무공간을 꾸려왔다. 처음 울산으로 지방이전을 했을 때 제대로 된 사무실을 확보했어야 했는데, 당시 여러 가지 상황이 그렇지 못했고 이제까지 위원장 사무공간이 공단 4층 제일 구석의 좁은 공간에 위치해 있었다. 사측과 업무협의를 할 때 동시에 2건 이상을 할 수가 없어서 노동조합 사무실에 줄을 서서 기다리는 진풍경이 펼쳐지는가 하면 심지어 조합원들이 찾아오면 조용히 이야기할 장소가 없어 항상 노동조합 사무실 밖의 또 다른 공간을 찾아가야 했다.

사측에게 노동조합을 제대로 대해 달라고 요구하기 전에 먼저 우리 스스로 위상을 확보할 필요가 있었다. 그래서 공단 본부의 사무공간이 부족하다는 볼멘소리가 있다는 것을 알고 있음에도 불구하고 이전 보다 넓은 위치로 사무실 이전을 요구했고 사측은 그 요구를 받아들여 사무 공간을 이전하게 된다. 혹자는 노동조합 사무실이 넓어지면 그 만큼 조합원의 사무공간이 줄어드는데 희생과 봉사를 해야 할 노동조합에서 '자기 이익만 챙기는 것이 아니냐' 라는 이야기를 하기도 하는데 이것은 하나만 알고 둘은 모르는 이야기이다.

그런 논리라면 공단에서 가장 넓은 공간을 사용하고 있는 이사장, 임원의 공간은 그대로 두고 왜 노동조합의 사무공간부터 줄여야 할까? 그리고 더 넓게 생각하자면 노동조합의 사무공간은 지금 위원장과 근로시간면제자들의 편의를 위한 공간이 아니다. 누가 될지는 알 수 없으나 다음 위원장과 근로시간면제자들이 떳떳하고 당당하게 업무할 수 있도록 준비해줘야 하는 우리 노동조합의 공간이며 다르게 말하면 전국 1,700 조합원의 공간이기도 하다. 최소한 전국에 있는 1,700 조합원들이 노동조합을 찾아왔을 때 마음 편하게 이야기할 수 있는 공간 정도는 확보하고 있어야 하지 않을까?

노동조합 사무 공간 이전과 더불어 노무 업무에 있어서도 차장선에서 노동조합 근로시간면제자들을 대하지 않도록 하고 최소한 부장급 이상에서 노동조합을 대할 수 있도록 요구했다. 차장은 말 그대로 실무를 하는 사람이지 의사결정을 할 수 있는 사람이 아니기 때문이다. 사실 노무업무를 하는 직원들도 사측의 사람들이기 때문에 평소에 아무리 노동조합과 원만하고 좋은 관계를 유지하고 있어도 결정적인 순간에는 이사장의 편이 될 수밖에 없다. 노동조합도 이 부분을 잘 인지하고 있다. 하지만 그런 결정적인 순간 전까지는 최대한 노동조합의 이야기를 듣고 원만한 노사관계를 위한 최선의 노력을 기울여야 할 곳이 노무부서이기도 하다.

어디 노무부서에만 국한되는 이야기겠는가? 노동조합의 실무자들 역시 마찬가지이다. 이사장의 이야기를 위원장에게 제대로 전달하고 정확한 판단을 할 수 있도록 하는 것 역시 중요하다. 예전에 노사관계가 삐걱거릴 때 '노무부서 노동조합 사무실 출입금지' 표지를 조합 사무실 앞에 게시하면 문구 그대로 정말 노동조합을 찾아오지 않는 노무 차장, 노무 부장도 있었다. 노무업무가 노사관계가 삐걱거린다고 가장 먼저 '나 몰라라' 할 업무는 아니라는 의미이다. 생물과 같은 노사관계는 언제든지 급상승과 급하강을 경험할 수 있고 그렇기 때문에 끝까지 관계의 끈을 놓지 않고 가져가야 할 것이 노사관계라는 의미이다.

협력적 노사관계? 대립적 노사관계?

앞에서도 이야기 했지만, 노사관계는 하나의 생물과 같다. 협력적 노사관계가 궁극적으로 노사 모두가 추구하고 싶은 이상이고 결론적으로 도달해야 할 관계인 것은 맞지만, 생물과 같은 노사관계는 예기치 않은 상황에서 대립으로 치닫기도 하고 또 한순간의 어떤 계기를 통해 대립관계에서 협력관계로 넘어가기도 한다.

과서 집행부 중에는 노사관계가 아주 좋았던 시설이 있었다. 이

럴 때 집행부의 입장에서는 사측과의 업무협의 등이 수월할 수는 있어도 어용(자신의 이익을 위하여 권력자나 권력기관에 영합하여 줏대 없이 행동하는 것을 낮잡아 이르는 말) 노조 비판을 경계해야 한다. 노사관계가 좋으면 실상은 그렇지 않지만 물밑에서 노사가 짝짜꿍 하고 있는 것 아니냐는 비판이 어김없이 들려오기 때문이다. 반대로 대립적 노사관계는 노동조합이 사측과 협의할 수 있는 것을 제한하게 되고 투쟁 이외에는 선택사항이 없도록 만든다. 그리고 투쟁은 항상 노동조합의 육체를 힘들게 하지만 의외로 조합원들의 단결을 이끌어낸다는 점에서 또 다른 의미가 있기도 하다.

결국 노사관계에 있어 위원장과 이사장 간의 관계와 대화가 상당히 큰 영향을 미치는 것은 맞지만 협력적 노사관계도 대립적 노사관계도 노사가 원한다고 되는 것이 아니다. 대외적인 여건들, 그리고 내부적인 의사소통, 구성원들 간의 관계, 이 모든 것 중에 하나만 어긋나도 순식간에 대립으로 또는 잘 맞아 들어갈 때는 순식간에 협력으로 넘나들 수 있기 때문이다. 중요한 것은 적당한 긴장감을 노사는 유지하고 있는 것이 좋다. 사측과 너무 협력적인 관계를 유지해도 문제가 있지만 너무 대립적인 관계를 유지하는 것 역시 피로감만 불러일으키기 때문이다.

노사 간의 협력적 관계는 크게 문제가 될 것이 없지만 대립상황이 벌어질 때가 문제인데 이 과정에서 한 가지 주의해야 할 것이 있다. 즉, 각자의 직책에 맞는 역할을 하고 있는 상황임에도 개인에 대한 문제를 삼는 경우가 바로 그것이다. 노동조합도 분명한 조직이다. 그리고 이 조직의 구성원으로써 근로시간면제자가 노동조합의 입장을 사측에 전달하는 것은 자신의 직책에 맞는 역할을 하는 것이다. 그런데 노사의 대립각이 세워져 있는 상황에서는 이런 부분을 감정적으로 물고 늘어져 개인에 대한 문제로 몰고 가는 분위기가 포착될 때가 있다. 노사관계 역시 사람이 하는 일이다 보니 감정소모 없이 무미건조하게 업무가 진행될 수 있겠는가? 하지만 이 부분은 사측에서(반대로 노동조합일 수도 있다) 분명히 조심하고 또 조심해야 하는 부분이다. 결국 근로시간면제자 역시 이 역할이 끝나고 나면 평범한 조합원으로 돌아가야 할 사람인데 노사 간의 대립분위기 때문에 사측에 싫은 소리하는 사람이라는 꼬리표가 붙어서야 되겠는가? 결국 노사 간의 최선봉에서 그 업무를 하는 사람들의 각자 역할에 대한 존중이 기본으로 장착되어 있어야 한다.

명분과 실리, 무엇이 우선인가?

노사 간에 다양한 안건을 가지고 업무협의를 하다보면 노동조합이 봉착하는 주요 고민 중 하나는 '명분이 우선이냐, 실리가 우선이냐' 하는 부분이다. 네이버 국어사전을 검색해 보면 '명분이란 각각의 이름이나 신분에 따라 마땅히 지켜야 할 도리, 군신, 부자, 부부 등 구별된 사이에 서로가 지켜야 할 도덕상의 일을 이르는 단어'라고 정의되어 있다. 때로는 집행부 기조에 따라 명분을 우선하기도 하고 실리를 우선하기도 한다. 명분과 실리를 함께 취할 수 있으면 가상 이상적이지만 명분을 취하면 실리늘

잃어버릴 수 있고 실리를 취하다보면 명분 없는 실리가 될 수도 있다. 예전에 한창 노동조합 선거가 치열할 때는 명분을 우선시 하는 후보인지 또는 실리를 우선시 하는 후보인지 여부가 선거의 이슈이기도 했다.

그러나 노동조합 입장에서만 이야기를 하자면 조합원의 실리도 필요하겠지만 더 우선시 되는 것은 명분이라고 생각된다. 요즘 노사 간의 첨예한 대립각을 유발하고 있는 직무급을 예로 들어보자. 사측은 정부가 직무급 도입을 추진해야 한다는 기조이기 때문에 직무급을 도입해야 한다는 이야기를 하면서 노동조합을 유혹하기 위한 당근책을 함께 들고 온다. 이 당근은 노동조합의 입장에서 본다면 달콤해 보이지만 무턱대고 이 당근을 받을 수는 없다. 직무급이 도입되었을 때 중장기적으로 조합원들의 임금과 노동조건에 어떤 영향을 미칠지에 대한 분명한 대책이 필요하기 때문이다. 이것이 노동조합의 명분이 될 수 있을 것이다.

회사가 하고 싶은 것이 있다면 당장 눈앞의 당근책을 들고 올 것이 아니라 노동조합이 생각하는 명분을 만들어낼 수 있어야 할 것이다. 그리고 만약 직무급 도입에 대한 조합원들의 반발이 심하다면 회사는 이런 부분까지 어떻게 명분을 제시할 수 있을지에 대해 더 많은 대책을 준비해야 할 것이다. 막상 글로 쓰려고 해도 쉽지 않은 것이 이 문제이다. 지금 이 주제는 외부적으로 복잡한 정치적 이해관계에 얽혀있기도 하며 내부적으로는 조합원의 임금에 직접적인 영향을 미치는 무거운 주제라

세세하게 지면에 풀어내기에는 어려움이 있다.

그렇지만 요즘 우리 노동조합도 나이를 먹어갈수록 이런 부분에 대한 나름의 노하우가 쌓이고 있는 것 같다. 즉, 명분도 실리도 포기하지 않는 방법들 말이다. 때로는 시간끌기가 방법이 되기도 한다. 어떤 때는 차라리 가만히 있는 것이 더 나을 때도 있다. 그리고 모든 고민에 대한 답을 집행부에서 반드시 제시해야 하는 것도 아니며 의외로 조합원들이 집행부에게 답을 주기도 한다. 그래서 이 명분을 만들고 지키기 위해 중요한 것은 집행부의 단독적인 판단이 아니라 조합원들과의 소통인 것 같다. 노동조합의 명분은 결국 조합원을 위한 것이기 때문이다.

합의하고 싶은 노동조합, 협의하고 싶은 사측

단체협약을 체결하고 나면 우리 노동조합은 전국 지부를 순회하고 이번에 체결된 단체협약의 주요 개정사항을 조합원들에게 직접 설명한다. 여기서 꼭 빠지지 않고 설명하는 내용이 있는데 바로 '합의'와 '협의'에 대한 내용이다. 노동조합은 항상 사소한 것이라도 합의를 하고 싶어 하고 반대로 사측은 합의사항을 최소화 하고 싶어 한다. 합의사항은 말 그대로 양측 모두의 동의가 있어야 성사될 수 있다. 임금, 단체협약 등이 노사가 합의해야 하는 대표적인 사항들이다. 하지만 협의사항은 다르다. 네이버 국어사전에 따르면 '협의란 둘 이상의 사람이 서로 협력하여 의논함'이라고 정의되어 있다. 합의가 결론을 봐야 하는 것이라면 협의는 협력해서 의논하는 것 까지는 좋은데 그 다음은 어떻게 되는 것인가? 그래서 협의라는 것은 그 범위를 어디까지로 볼 것인지에 대해 모호한 부분이 분명 있다.

노동조합은 협의라는 개념을 충분한 시간을 두고 원하는 것을 설득하고 관철하기 위한 수단으로 이용하려고 한다. 그러나 만약 노사관계가 좋지 않거나 회사가 강하게 추진하고 싶은 사안에 대해 사측이 안건에 대한 설명만 하고 단독으로 추진해 버린다면 이것은 제대로 된 협의가 되었다고 볼 수 있는 것인가? 분명 논란이 있겠지만 사측은 노동조합에 설명을 했다는 사실만으로 협의를 했다고 주장할 것이고 노동조합은 '이딴 것이 무슨 협의냐'라며 강한 반발을 할 것이다.

협의라는 단어의 문구 그대로 해석을 하자면 사측의 말도 맞고 노동조합의 말도 맞다고 본다. 그래서 때로 이 단어 때문에 노사관계가 틀어지기도 한다. 과거 한창 노사관계가 좋지 않을 때 우리 노동조합 사무실 입구에 '사측 출입금지' 또는 '○○○○실 출입금지'와 같은 표지가 붙은 것을 기억하는 조합원들이 있을 것이다. 사측에서 일방적인 설명만 하고 협의했다고 주장할 것을 사전에 차단하기 위해 아예 협의를 안 하겠다는 의지인 것이다. 협의해야 하는 사안에 대해서 어떤 방식으로든 협의를 한 것과 아예 협의를 하지 않은 것은 분명히 차이가 있기 때문이다.

이렇게 협의의 의미와 범위에 대한 해석이 노사 간에 다르다고 해서 사측이 모든 사안에 대해 대충 협의하거나 일방적으로 설명하고 추진할 수는 없다. 노사관계가 그렇게 단순하지는 않기 때문에 노사의 균형을 깨뜨리는 행위는 결국 또 다른 여러 사안들에 영향을 미칠 수밖에 없기 때문이다. 협의해야 하는 사항을 대충 협의하고 추진해 버린다면 합의해야 하는 사항에 대해 노동조합이 쉽게 합의해주겠는가? 그리고 이 이외에도 사측을 힘들게 할 방법은 많다.

3장
투쟁하는 노동조합

여기서는 우리 노동조합의 투쟁사를 한 번 다루어보고자 한다. 개인에게도 또는 조직에게도 갈등은 힘들고 피곤한 것이다. 가능한 이런 갈등상황은 사전에 예방하는 것이 최선이다. 그러나 갈등이 발생했을 때 노동조합은 원팀이 되어 강한 투쟁으로 원하는 것을 관철하고 때로는 쟁취해내야 한다. 그리고 다음 갈등을 예방하기 위해서도 과거 우리가 어떤 투쟁을 어떻게 전개해 왔는지를 기억하는 것이 중요하다.

1. 한 번도 경험해보지 못한 내부갈등

조직개편, 갈등의 시작

사실 우리 노동조합은 2017년도 이전에는 공단 내부 조직개편에 대하여 관심을 기울이지 않았다. 이 때까지 내부 조직개편은 각 조직의 명칭이 조금씩 변경되고 부서를 약간 통합하고 분리하는 수준이었기에 노동조합에서 간단히 협의만 하는 수준이었다. 참고로 우리 공단은 산업재해예방전문기관으로서 신입직원부터 전공별 채용을 할 정도로 고용노동부의 근로감독관과 달리 '전공 및 직능' 중심의 조직이다. 2018년 8기 집행부와 함께 임기를 시작한 전임 이사장 부임 후, 그 해말 대대적인 조직개편을 할 것이라는 소문이 무성하기는 했으나 특별한 사측의 움직임이 없었기 때문에 노동조합도 크게 관심을 기울이지는 않았다.

2018년 11월 초로 기억이 된다. 당시 주관부서인 경영기획실장이 조직개편(안)을 가지고 최초로 노동조합에 설명을 하였는데 그 내용은 파격적이었으며 심지어 무모하다고 느낄 정도였다. 특히, 공단 30년 역사에 유례없는 대폭적인 조직개편을 임원 및 기관별 실·부장들조차 전혀 알지 못했고 무엇보다도 공단 사업에 대한 전혀 현장 경험이 없는 '경영기획실장, 조직부장, 그리고 이사장' 단 3명이서 이 파격적인 조직개편을 밀실에서 작업했던 것이었다.

내용을 보니 조직 개편의 핵심은 '일선기관의 지역책임제'였다. 공단은 전공 및 직능중심의 집단이라는 사실을 '깡그리' 무시하고 일선기관 내 지역책임제를 통한 전공불문의 사업수행이 핵심이었다. 노동조합은 바로 문제제기를 했다. 만약 지역 부서 내 적절한 전공배치가 된다면 이야기는 다르겠지만 공단 일선기관의 인력현황 상 모든 지역부서에 적절한 전공배치란 불가능한 이야기였기 때문이다. 뿐만 아니라 공단사업도 업종별 각 업별 사업형태였기 때문에 이미 각 지역별로 기관이 배치되어 있는 상황에서 다시 세부적인 지역쪼개기에 해당되는 지역책임제가 별로 의미가 없었을 뿐만 아니라 한 기관 내에서 지역책임이라는 칸막이로 인한 상호지원이 되지 않을 경우에 오히려 조직 내 갈등이 예상되었다.

전임 이사장은 미국 산업안전보건청을 롤 모델로 했던 것 같았는데 엄연히 우리 공단과는 기관의 특성이 다름에도 대학교수 출신답게 이론적 접근으로만 본인의 이상을 실현한 작품이라 할 수 있다. 그리고 노동조합의 입장에서는 결국은 허울뿐인 지역전담제로 그동안 쌓아왔던 산재예방전문기관으로 이미지가 퇴색할 가능성도 매우 높아보였다. 당시 노동조합은 이러한 우려와 조직개편에 대한 노동조합의 입장을 사내 성명서로 게시하고 사측에 공식입장을 전달했다. 사측에서는 직원들의 의견수렴을 통하여 시행하겠다고 했으나 시간이 지나보니 의견수렴은 요식행위였을 뿐 전혀 수정할 생각조차도 없었다는 것을 알게 되었다.

공단을 무너뜨린 조직개편과 본격적인 투쟁의 시작

노동조합도 이사장이 본인의 경영철학을 구현하기 위한 조직개편이라는 부분에 대해서는 일정 부분 공감하나 당시 공단 내부 상황은 조직개편에 대하여 노동조합 뿐 아니라 1급, 2급 간부들조차도 많은 우려와 의구심을 나타내고 있었지만 무리하게 이사회 의결을 고집하였다. 정해진 임기 내에 많은 일을 하고

자 하는 이사장의 욕심도 이해가 가지만 그 보다 중요한 것은 30년을 이어온 공단 조직을 대폭 변경하는 것은 보다 신중을 기해야 하는 일이었다. 이사장 임기는 3년이면 끝나지만 앞으로 지속될 공단의 미래를 생각해볼 때 다소 시간을 요하더라도 구성원들의 공감대를 이끌어내는 것도 중요한데 이러한 부분은 이사장 관심 밖의 문제였다. 구성원이 반대를 하든 말든 오직 본인 하고 싶은 것은 무조건 해야 하는 독단과 독선으로 뭉친 사람이라는 것을 처음으로 확인하게 된 시간이었다.

노동조합에서 이사회 저지를 위한 현장 시위 등을 전개했음에도 이사회는 원안을 통과시켰다. 이 당시만 해도 조직개편이 단체협약 상에서 노동조합과 반드시 협의해야 하는 내용이 아니었기 때문에 사측을 상대로 벌이는 투쟁에도 한계가 있었다. 그리고 이 일은 산재예방사업을 수행하는 '조직의 중요성'을 노동조합이 깨닫는 계기가 되면서 향후 단체협약에 관련 조항이 반드시 포함되어야 한다는 필요성을 만들게 되었다.

그렇게 2019년 이사장의 의지대로 공단 조직을 망가뜨린 지역부서제는 시행되었다. 지역부서제는 시행 초기부터 공단 사업과 따로 놀며 조직의 내부 갈등을 증폭시켰으며 미래에 대한 진지한 방향성 없는 이사장의 무모한 실험성 사업들은 공단 전체를 힘들게 하였다. 그리고 그 해는 단체협약 갱신이 있었다. 당시 8기 집행부가 단체협약에 임하는 핵심은 당연히 '조직개편에 대한 노동조합과의 합의' 문구 쟁취였다. 사실 타 단사 단체협약을 살펴보아도 조직개편 관련해서 노동조합과 협의 또는 협의를 한다는 조항은 찾기가 쉽지 않았다. 그럼에도 불구하고 우리 노동조합은 조직개편이 조합원들의 고통과 직결되는 문제이기 때문에 조직개편의 결과는 곧 노동조건과 직결된다는 인식을 가지고 반드시 단체협약에 넣어야겠다는 각오로 협상에 임했다.

집행부는 수석부위원장(현 9기 위원장)을 필두로 전임 이사장과의 직접 토론을 거치는 등 갑론을박의 거친 과정을 거쳤다. 최종적으로 조직개편 관련하여 합의해야한다는 문구를 이끌어내지는 못했지만 단체협약에 '공단은 내부 조직개편 시 조합과 협의해야 한다'라는 조항을 이끌어 냈다. '합의'라는 문구를 넣지 못한 것에 대한 아쉬움도 있었지만 조직개편 관련해서 '협의해야 한다'라는 문구도 상당한 성과라고 자평하고 싶다.

조직정상화를 위한 천막투쟁

노동조합은 2019년 상반기까지 조직의 현장 작동성을 지켜보았다. 하지만 여전히 일선기관 뿐만 아니라 본부까지 조직개편에 대한 불만과 원성은 끊이지 않았다. 결국 집행부는 더 이상 조직의 미래가 역행하는 것을 좌시할 수 없었기 때문에 전 조합원을 대상으로 개편된 조직에 대한 찬반투표를 실시했고 조합원들은 86.9%라는 압도적 반대를 표시하였다. 노동조합은 이 결과를 가지고 그 해 3분기 노사협의회에서 조직의 전면 원상복귀를 요구했다. 이사장은 조직의 원상복귀를 포함한 원점에서의 재검토를 약속하였으나 이것은 당시 상황을 모면하기 위한 하나의 술수였다. 사측은 전혀 재검토의 의지를 가지고 있지 않았고 오히려 그 이후 원상복귀 할 뜻이 없음을 직간접적으로 드러내기도 하였다.

공단의 주인인 조합원들의 목소리는 철저히 무시되었으며 이사장의 독단과 독선에 침묵하는 경영진을 보면서 더 이상 그동안의 방식으로는 대화가 불가능하다는 결론에 도달했다. 이에 노동조합은 수석부위원장을 투쟁본부장으로 '조직정상화를 위한 투쟁본부'를 출범시키고 무기한 '천막농성'에 돌입하였다. 천막농성은 53일간 지속되었고 완벽한 원상복귀를 이루어내지 못하였지만 '이사장의 면'을 고려해서 원래 조직의 전 단계 정도 수준의 결과를 도출하기에 이르렀다.

투쟁본부의 해단 이후 그 다음 해인 2020년에 이사장은 협상결과를 교묘하게 뒤엎고 인사권을 무기로 일선기관에 당시 운영실장을 통하여 협상결과를 무력화 시키는 기관내 전보를 강요하였다. 기가 찰 노릇이었고 지금도 그 당시만 생각하면 분노가 치밀어 오른다. 그 사이 8기 집행부는 임기를 마무리하게 되고 새롭게 황동준 위원장을 중심으로 한 9기 집행부가 출범했지만 여전히 조직개편에 따른 내부갈등은 진행 중이었다.

결국 이사장이 퇴임하고 신임 이사장이 부임하였을 때 9기 집행부는 다시 조직의 원상복귀를 요구하였다. 신임 이사장은 노동조합의 요구를 받아들였고 경영진 및 본부 실장을 포함한 간부들 역시 조직의 원상복귀가 옳음을 그제서야 새로운 이사장에게 건의 했다고 한다. 그나마 다행스러운 일이지만 신임 이사장 에게 '용미

어천가'를 부르며 절대 충성했던 간부 선배들의 모습에 씁쓸한 생각이 들었다. 마치 중국 후한 말 영제시대 때 조정을 장악하여 제국을 쇠퇴시키고 결국 망하게 하였던 환관 10명 십상시를 연상시켰다. 실제 당시 십상시 10명의 실명이 거론되기도 하였다.

공단을 10년 퇴보시킨 조직개편의 후유증

전임 이사장의 지역부서제와 무모한 실험성 사업들은 현재도 공단에 많은 후유증을 남기고 있으며 공단 전문성 저하 논란의 주요 원인 중 하나가 되고 있다. 뿐만 아니라 지금도 우리 구성원들에게 피로감을 주고 있으며 이것의 잔재물인지 지금도 특별한 명분 없이 해마다 관례행사처럼 조직을 담당하는 부서에서는 조직개편을 시도한다.

이제 노동조합은 조직개편이라는 용어만 들어도 피로감을 느낀다. 하물며 직접 조직에 몸 담고 그 영향을 직접 받는 조합원들의 마음은 오죽하겠는가. 사측에서 주로 쓰는 표현이 있다. '인사, 조직 등은 경영진의 고유권한'이다, 소위 말하는 경영권이다. 과연 그럴까? 노동조합은 그 말에 동의하지 않는다. 조직의 변동은 곧 노동조건의 변동이기 때문이다. 조합원의 노동조건을 저해하는 조직개편에 대해서는 단호히 맞서 싸워 나갈 의지가 있다.

2. 노동조합이 산업안전보건청 신설에 반대했던 이유

산업안전보건청 이슈(feat. 시즌 1)

2010년 이후 산업안전보건 행정조직과 집행체계의 고도화를 위한 방안 중 하나로 학계에서는 현행 산업안전보건 감독체계에 대한 '전문성 부족, 비효율' 등을 사유로 고용노동부로부터 독립된 '산업안전보건청'설립 필요성을 주장하는 일부 교수들이 있었다. 산업안전보건청 설립에는 여러 가지 장단점이 있겠지만 결국 산재예방업무를 수행하고 있는 우리 공단의 역할과 존재의 문제로 귀결되기 때문에 공단입장에서 산업안전보건청 설립 이슈는 상당히 예민할 수밖에 없다. 노동조합 역시 조합원의 고용을 포함한 노동조건과 밀접한 관련이 있기에 촉각을 곤두세울 수밖에 없다.

2020년에는 대통령 직속 '경제사회노동위원회 산업안전보건분과위원'에서 제안한 노사정합의문에서 '중장기적으로는 산업안전보건청 설립을 포함한 다양한 시스템(조직구조) 개편을 검토·추진하기로 합의했다'는 발표문이 나왔다. 여기서 주목할 부분은 당시 논의를 주도했던 경제사회노동위원회 산업안전보건분과위원장이 전임 공단 이사장이었다는 사실이며 심지어 이사장으로 재직 당시였다. 노동조합은 경악했다. 그가 학계에 있을 때 산업안전보건청 설립 예찬론자인 것은 알고 있었으나 설마 우리 공단의 미래와 직결되는 산업안전보건청 설립을 주도하고 있으리라고는 생각하지 못했기 때문이다. 당시 1년 2개월 동안 그 협의체의 위원장으로 활동하면서 노사관계의 핵심에 있는 노동조합 위원장에게 한 마디 귀띔도 없었다. 지금 생각해도 참 무서운 사람이었다. 때마침 경기도 이천화재사고(2020년 4월29일 발생, 38명 사망)와 같은 국가적인 대형 사고는 산업안전보건청 설립 필요성에 더욱 불을 붙였다. 마침내 정부여당의 김영주 의원(더불어민주당/전 고용노동부장관)을 중심으로 산업안전보건청을 신설하는 내용의 정부조직법 개정안이 발의(2020년 7월 22일)된다.

산업안전보건청에 관한 내용을 논하기 이전에 국가 산업안전보건 행정업무에 대한 이해가 필요하다. 대한민국의 산업안전보건 행정업무는 기본적으로 '예방, 감독, 보상'의 기본체계로 구성되어 있다. 산업재해 예방사업은 우리 공단이 담당해오고 있다. 특히 공단은 산업안전보건법을 기반으로 산업안전보건과 직간접으로 연관되는 다양한 분야(산업안전, 산업보건, 중대산업사고 및 화재폭발예방, 안전보건경영시스템 등)를 중심으로 산업재해 예방업무를 수행하고 있다.

산업재해 예방활동에도 불구하고 사업장에서 산업재해가 발생할 경우, 감독과 처벌업무가 수행되는데 해당업무를 고용노동부(당시 산재예방보상정책국, 현재 산업안전보건본부) 근로감독관이 수행하게 된다. 이는 말 그대로 산업재해가 발생하지 않도록 사업주가 예방활동을 제대로 수행하지 않은 결과에 대한 감독과 처벌 성격이 강하고 사업주는 산업안전보건법 위반사항에 대한 과태료와 벌금 등을 납부하게 된다. 이상의 예방과 감독 활동에도 불구하고 산업재해로 인한 피해를 입은 노동자들의 보상과 업무복귀를 돕는 재활은 근로복지공단에서 수행하고 있다.

그런데 산업안전보건 행정업무에 있어 주목할 부분은 예방업무와 감독업무가 완전히 독립적이지 않다는 점에 있다. 이 두 업무 영역이 밀접한 관련을 가지고 있어 공단에서 수행하고 있는 다양한 예방사업들이 고용노동부 주관(통제)하에서 수행되고 있으며, 특이한 부분은 고용노동부의 감독 업무 역시 단독으로 수행하는 경우도 있으나 상당부분 공단과 함께 수행하는 경우가 많다. 이렇게 두 영역이 상호의존적 업무특성을 보이는 것은 두 영역이 연관성(예방과 감독처벌이 원인과 결과적 성격)이 있다는 점 이외에도 또 다른 추측 가능한 이유가 있는데 바로 '전문성'이다.

많은 안전보건 분야의 전문가들이 언급하는 것 중에 하나가 산업안전보건업무는 이 분야에 특화된 전문성이 필요하다는 점이다. 이러한 측면에서 안전보건공단은 안전(전기, 기계, 화공), 건설(건축, 토목, 구조 등), 산업보건(산업위생, 산업의학, 산업간호 등), 그리고 사회과학(심리사회, 법, 경제 등) 분야의 다양한 전문가들로 구성되어 입사부터 퇴사 때까지 산업재해예방업무만 수행한다. 반면 고용노동부 근로감독관의 경우에는 당시(2020년) 일부 기술직 공무원도 있으나 상당수가 행정직 공무원으로 구성되어 있었다. 쉽게 설명하면 안전보건공단은 전문성을 가지고 있으나 예방사업 전반을 고용노동부의 통제를 받기 때문에 권한이 없고 고용노동부는 감독과 처벌과 같은 권한을 가지고 있으나 산업안전보건 분야의 전문성이 부족하다는 제한점을 가지고 있어 두 기관이 그동안 예방업무와 감독업무를 상호보완적인 관계에서 수행해 왔다고 할 수 있다.

이러한 관계는 일단 차치하고 우리 조직에 민감한 관련 법이 발의된 이상 노동조합은 대응방안을 준비해야 했다. 우선 정부조직법을 발의한 김영주 의원실에 항의성 방문을 하였다. 의원실 보좌관과 약간 얼굴을 붉히기도 하였고 의원실 입장에서는 우리 노동조합이 이렇게 반대를 할 줄은 몰랐다며 서운하다는 입장을 밝혔다. 서운한 것은 우리도 마찬가지이지 않을까? 실제로 한동안 의원실과 노동조합은 서운한 입장을 가지고 있었지만 9기 집행부 이후 그 감정을 서로 풀어냈었고 지금은 원만한 관계를 유지하고 있다. 뒤에서 언급하겠지만 산업안전보건청 문제로 김영주 의원님과 직접 면담하여 오해를 풀기도 하였다.

노동조합은 항의성 방문만으로는 해결될 수 없다는 것을 알고 있었고 정부조직법 일부개정 법률안(의안번호 2284, 2020.7.22.)에 대한 긍정적 측면과 부정적 측면을 분석하여 '산업안전보건체계 행정체계 발전을 위한 제언과 안전보건공단의 향후 역할과 위상'에 관한 설명 자료를 만들어서 국회, 노동계, 학계, 그리고 정부 인사들을 당시 위원장과 함께 정신없이 쫓아 다녔었다. 노사가 합심하여 대응해도 모자랄 판에 이사장이 산업안전보건청 설립을 예찬하고 법안발의에 결정적 역할을 한 당사자라는 사실에 어처구니가 없었다. 책을 쓰고 있는 지금도 그 시절을 회상하면 암울했던 기억이 난다. 그리고 산업안전보건청 문제는 이사장 퇴진운동에 돌입하게 되는 결정적 단초가 되기도 하였다.

노동조합의 반대 활동은 '공단 밥 그릇 챙기기'라는 비판을 유발할 수도 있었지만 노동조합이 아니면 누가 우리의 밥그릇을 챙기겠는가? 일단 노동조합이 문제점으로 부각한 첫 번째 사항은 정부조직의 외연확장 및 거대화였다. 고용노동부로부터의 분리·독립에 따른 기관운영 부서를 신설해야 하는 등 산재예방업무 추가 수행을 위한 전국단위의 거대조직이 불가피하다는 점이다. 두 번째로는 산업안전보건을 전문으로 하는 공무원 인력확보 문제였다. 당시 산업안전보건업무를 수행하는 근로감독관은 약 700여명 수준이었으며, 그 중에서도 약 40%만이 기술 직렬로 나머지 과반 이상이 행정직렬 공무원이었다. 당시 산업안전보건 근로감독관 수는 노동자 1만 명당 0.6명 수준으로 프랑스(0.8), 독일(1.5), 핀란드(1.5), 스페인(1.0)등에 비해 부족한 수준으로 약 2배 수준의 증원이 필요하다는 점이었다. 세 번째로는 산업재해예방보상보험 및 예방기금(이하 산재기금)의 사용 불가하다는 점을 집중 부각하였다.

그 이외에도 독자적인 행정기관으로서의 수행가능여부, 다양한 분야의 협력이 필요한 산업안전보건 분야의 특성, 행정조치 위주의 산업안전보건체계에 대한 적용 우려, 산업재해보상업무의 수행 여부 등을 부각하여 산업안전보건청 설립에 따른 우려 사항 등을 전파하고 역으로 공단의 역할을 강화해달라고 주문

하였다. 일례로 산업안전보건법령상 일부 행정권을 부여해줄 것, 중대재해 및 중대산업사고 등 산업재해 조사권을 부여해줄 것, 그리고 고용노동부 일선기관을 완벽하게 지원할 수 있도록 조직과 인력의 확대의 필요성 등이 그것이었다. 그리고 단순히 산업안전보건청 설립을 반대하는 것이 아니라 독립적 산업안전보건체계 확립을 위해 고용노동부의 산재예방보상정책국을 '실' 또는 '본부'로 승격해줄 것을 국회 환경노동위원회 여야 간사실에 제안하기도 하였었다.

이 모든 것들이 노동조합의 노력에 의해서 달성된 것은 아니지만 2023년 현재 고용노동부의 산업안전보건정책국은 산업안전보건본부로 승격되었고 산업안전보건청 설립 입법 법안은 21대 국회 회기종료와 함께 곧 폐기될 예정이다. 그 당시 당장이라도 통과될 것 같은 법안은 잠시 숨고르기에 들어가며 연말이 다가왔다.

중대재해처벌법으로 인한 외풍(feat. 시즌 2)

2018년 이천 화재사고 이후 또 하나의 산업안전보건 분야의 사회적 이슈가 되었던 태안화력발전의 故김용균씨 사고를 계기로 2020년 말 산업안전보건법 전부 개정안이 국회를 통과 했으며 중대재해처벌 등에 관한 법률(중재대해처벌법) 제정으로 산업안전보건청 설립논의는 다시 급물살을 타게 되었다. 9기 집행부가 막 출범한 2021년 1월 당시 집권여당 대표의 '산업안전보건청 신설 법안을 여야가 합의해서 처리하겠다'는 메시지가 인터넷 포털 메인 뉴스 등을 장식하였다.

상당히 이례적이라는 생각이 들었다. 일반 국민들의 시각으로 해석하면 산업안전보건청을 신설해서 산업안전보건 및 나아가서는 대한민국 산업현장의 안전보건을 강화하겠다는 것인데 여기에 이견이 있을 수 있겠는가. 즉, 3자의 입장에서 보면 특별한 이견이 없을 문제이기 때문이다. 당시 노동조합은 지난 경험을 토대로 만약 다시 이 문제가 이슈화 된다면 새롭게 전략을 가져가야 한다는 생각을 하고 있었다. 마냥 산업안전보건청 신설을 반대하는 것은 명분도 약할 뿐만 아니라 우리 공단의 정치적 우군을 만들기가 쉽지 않기 때문이다. 우리의 기본 전략은 산업안전보건청 신설 논의 과정에서 우리 노동조합이 오히려 적극 참여하여 산재예방 사업의 재편을 주도하고 산재예방전문기관으로서 공단의 역할과 고용노동부의 역할 분담을 통해 공단 위상 재고의 기회로 삼아야 하겠다는 데 있었다.

위원장은 여당대표의 메시지 발표 이후 산업안전보건청 신설법안을 발의했던 김영주 의원님에게 '우리 공단 노동조합이 산업안전보건청 설립을 무조건 반대하는 것은 아니다. 청 설립이후에도 명확한 우리 공단의 역할과 위상을 보장받고 싶다'라는 메시지로 그 논의 과정에서 우리 노동조합의 목소리가 반영될 수 있도록 도와달라는 의견을 전달하였다. 당시 의원님도 우리 공단에 대한 애정을 말씀하시면서 본인께서 설사 산업안전보건청이 설립되더라도 우리 공단의 역할이 약화되지 않도록 책임을 지겠다고 언급하셨다.

마냥 반대를 할 것이 아니라 우리를 도와줄 수 있는 정치적 우군이 필요했다. 그리고 매일노동뉴스 등 노동계 언론, 한국노총 기관지 및 인터넷 언론 등을 통해 우리 노동조합의 생각을 수차례 기고했다. 핵심은 산업안전보건청 신설과정에서 우선 '산재예방사업의 재편'을 논의해야 한다는 것이다. 산업안전보건청 신설의 필요성을 주장하는 핵심근거는 조직의 '전문성과 효율화'다. 기존 고용노동부가 예방과 감독기능을 관장했으나 근로감독관 전문성의 부족으로 산하기관인 안전보건공단 기술지원 인력에 상당부분 의존해온 것이 현실이다. 그렇기 때문에 공단은 그동안 기술인력 중심의 산재예방업무를 수행해왔으나 일부사업은 고용노동부 그늘을 벗어나지 못하고 독자적인 역할을 못했다.

원인을 찾는다면 다시 행정조직 체계의 문제점으로 귀결되고 그 대안으로 산업안전보건청 신설 등 행정조직 개편이 논의되고 있는 것이다. 결국 전문성과 효율성을 키우고자 신설되는 산업안전보건청 조직이지만 한편으로는 현재의 산업안전보건감독관 인력만으로 대한민국 모든 산업현장의 재해를 예방하기에는 역부족이다. 전국단위의 일선조직과 2천명이상의 전문기술 인력을 보유하고 있으며 30년 이상의 산재예방 사업 수행경험 및 노하우를 가지고 있는 공단의 산재예방 사업의 효율적인 수행 방안을 함께 논의하지 않고 산업안전보건청 신설만으로는 산재감소 효과를 달성할 수 없다는 논리를 강조하였다.

그리고 당시 한국노총 위원장님과의 면담에서 이러한 논의 과정이 있을 시 노동계 대표로 우리 노동조합을 꼭 추천해주실 것을 부탁드렸다. 이러한 논의과정에서 각계각층의 폭넓은 의견을 수렴하는 과정이 있어야 할 것이며 이 과정에서 현재 산업재해예방업의 수행주체인 공단의 참여는 필수 요소이기 때문이다. 이러한 노력들 덕분에 9기 집행부 위원장은 그 해 말 '경제사회노동위원회의'의 '제2기 산업안전보건위원회의 노동계 대표'로 산업안전보건의 노사정 대화에 우리 노동조합 역사상 최초로 참여하게 되었다.

우여곡절 끝에 2022년 새정부는 출범했고 산업안전보건청 이슈는 다시 잠잠해졌다. 하지만 갑작스런 대형 사고나 사회적 이슈가 되는 산업재해가 발생할 때 마다 산업안전보건청 신설문제는 언제든 다시 이슈화 될 것이다. 그리고 언제나 노동조합은 산업안전보건청 이슈 시즌 3, 시즌 4를 준비하고 있어야 할 것이다.

3. 임원의 음주운전 논란

음주운전에 대한 높아진 사회적 기대

노동조합 간부 생활을 하면서 가장 인간적인 고뇌를 겪는 경우는 오랫동안 같이 알고 지냈던 선·후배 직원에 대한 인사적인 조치, 특히 징계 조치와 같은 것을 요구를 할 때일 것이다. 하지만 적어도 이 일을 하는 동안 정에 휘둘려서는 안 될 것이며 원치은 지킨 수밖에 없을 것이다. 이런 고통의 시간을 겪으며 밤잠을 못잔 경험은 노동조합 간부라면 누구나 한 번쯤은 있을 것이다. 여기서는 모범을 보여야 할 간부직 직원의 음주운전 사실 여부로 인하여 노동조합에서 인사조치 요구를 했던 한 가지 사례를 이야기 하고자 한다.

우리가 공단에 입사한 2005년만 하더라도 전반적인 사회분위기가 음주운전을 금하고는 있었지만 한 편으로는 관대하기도 하였다. 그래서 우리 조직 내 분위기도 '음주운전은 잘못이지만 그럴 수도 있지' '다들 누구나 한번쯤은 할 수도 있지'라는 인식이 강하지 않았을까 한다. 그리고 공공기관 직원의 신분이 공무원은 아니기 때문에 음주운전 경력이 회사에 자동 통보되는 시스템도 없었던 시절이기에 설사 음주운전 경력이 있더라도 회사에서 모르고 지나가는 경우가 허다하였다.

하지만 시대가 바뀌면서 음주운전에 대한 사회 전반의 경각심이 높아졌고 당시 우리 공단도 지휘 고하를 막론하고 음주운전이 적발되면 그에 대한 적법한 징계처분을 받고 하향 전보되는 등 처분의 수위를 높였다. 그리고 2018년에는 일명 '윤창호법' 발의로 음주운전 처벌의 강화가 전 국민적 공감대를 형성하고 있을 때였으며 대통령도 이에 대한 강력한 의지를 표명하는 등 사회 전반적인 분위기가 달라지고 있었다. 심지어 10년 전의 음주운전경력 때문에 장관후보직에서 낙마하기도 하였다. 그렇기 때문에 우리 공단도 예외 없이 그렇게 하리라 노동조합은 믿고 있었다.

선배에 대한 예우 vs 조직을 바로 세우는 충정

하지만 2018년 노동조합 홈페이지 게시판을 통해 예외가 우리 조직 내에 있음을 전 조합원이 알게 되었다. 별정직 고위간부가 음주운전에 적발되었음에도 불구하고 견책 처분 이외에 아무런 조치도 없이, 오히려 연임이 이루어지고 있었던 것이다. 그리고 평소 음주운전 사건의 주관부서가 감사실인데 이 건에 관해서만은 인사부서에서 졸속으로 징계조치가 이루어졌음이 고용노동부 감사에서 밝혀지기도 하였다. 당시 집행부는 이사장 및 경영진에게 원칙을 바로 세워줄 것을 수차례 요구하였고 경영진들의 결정을 믿고 기다렸다. 그러나 이사장과 위원장의 면담결과는 연임 결정의 최종통보였다. 참으로 어처구니가 없는 결과였다. 노동조합은 그래도 오랫동안 조직에 기여한 선배에 대한 예우로 조용한 방법을 선택했으나 이사장의 오판으로 조용히 넘어갈 수가 없는 상황이 전개되었다. 노동조합은 사내 게시판을 통하여 즉각적인 메시지로 이사장의 오판에 대한 답을 하였다.

'해당 간부의 연임을 반대' '해당 간부 또한 용퇴하는 결단을 보여줄 것' 그리고 '조사과정의 부실함에 대한 사유와 경위를 조사하여 공개할 것' 등 3가지 사항을 요구하였다. 결국 이 성명서 발표 후 얼마 되지 않아 해당 간부는 사표를 제출하였다. 어떻게 보면 노동조합의 승리 같아 보이지만 선배의 마지막을 불명예스럽게 보냈다는 점에 상당기간 마음이 불편하였다. 그리고 평소 그 분과 친분이 있는 분들과 그 간부가 재직하고 있던 기관 직원들에게 원망도 많이 들었다. 하지만 원망하던 직원들에게는 원칙을 바로 세우고자 하는 노동조합의 충정임을 호소하였다.

이 후에도 음주운전 논란은 한 번 더 있었다. 노동조합은 높아진 사회적 눈높이에 맞는 기준을 요구했고 사측은 그런 응답에 부응하지 않았다. 다시 성명서를 붙이고 서로에게 상처를 주는 이야기들이 오고가기도 했다. 노동조합은 다시 한 번 이야기 하고 싶다. 관리자들의 책임 있는 자세 운운하는 부끄러운 최고 경영자 및 경영진들을 다시는 보고 싶지 않다.

4. 전보제도 개선

공단 역사에 걸맞지 않는 원칙 없는 전보제도

우리 구성원의 최대 관심사는 두말 할 것 없이 전보이다. 전국적으로 지역거점 조직(우리 공단은 현재 광역본부, 지역본부, 지사라고 부르고 있다)이 있는 기관은 모두 비슷할 것이다. 전보이야기를 하기에 앞서 이해를 돕는 차원에서 기본적인 전제 조건에 대해 언급을 할 필요가 있을 것 같다. 우리 공단은 전국의 주요 시/도에 광역본부, 지역본부, 지사를 두고 있는 전국 조직이다. 이것은 공단 직원이라면 누구나 기본적으로 알고 있는 사실이며 이 말은 입사할 때부터 인지하고 있는 사실이라는 의미이기도 하다. 즉, 순환근무가 기본인 조직이다.

그런데 어떤 조합원은 '순환근무를 없앨 수는 없느냐', 또는 '다른 어떤 조직처럼(아마도 학교 또는 우체국과 같은 조직을 말하는 것 같다) 맞교대 순환근무(조건이 맞는 직원들끼리 지역 간 교차 전보)를 할 수 없느냐' 등의 의견을 제시하기도 한다. 결론부터 이야기 하자면 안타깝지만 현시점에서는 어려워 보인다. 그리고 굳이 답을 하자면, 순환근무를 없애는 것은 기관 특성상 아예 현실성이 없는 이야기이다. 순환근무가 싫다면 모 정치인이 이야기 했듯이 순환근무 하지 않는 기관으로 이직하는 수밖에 없을 것 같다. 맞교대 순환근무는 어떻게 보면 이상적인 방법이지만 이것은 충분한 인력과 지역 조직이 갖추어졌을 때 가능한 이야기이다. 즉, 우리 공단 조직의 규모에서는 서로의 조건이 맞아 떨어지는 상대방을 찾아 맞교대 하기란 조금 과하게 비유하자면 모래사장에서 바늘 찾는 것 같은 쉽지 않은 일이라는 의미이다. 특히, 우리 조직 내 안전, 보건, 건설과 같이 전공직렬이 나뉘어 있는 점은 이것을 더 어렵게 만들기도 한다.

그럼에도 불구하고 중요한 인사업무 중 하나인 전보는 기본적인 원칙을 가지고 있어야 하나 이제까지 우리 공단의 전보는 그렇지 못했다고 노동조합은 바라보고 있다. 인사 지침(제198호)이 있기는 했지만 '비연고 2년 후에 연고배치를 한다' 는 내용 이외에는 아무것도 구체적으로 명시되어 있지 않는 허울뿐인 지침이었다. 그래서 그런지 매년 전보철만 되면 사무실 복도에는 휴대폰을 붙잡고 시싱이는 사람들이 그렇게 많을 수가 없었다. '니 이디코

전보신청 했는데, 그것 좀 꼭 반영 해달라' 또는 '이번에는 1년 더 여기 있어야 하는데, (역시나)꼭 반영해 달라'는 이야기를 하는 청탁성 전화들이다. 당연히 그 당시 우리도 그렇게 했기 때문에 무슨 내용이며 어디에 전화하고 있는지 일일이 물어보지 않아도 알 수 있다.

막상 노동조합 근로시간면제자를 해 보니 지금에서야 이야기 할 수 있지만, 전보인사의 원칙을 수립하고 원칙에 맞는 전보인사를 한다고 정신이 없어야 할 인사부서 직원들이 이런 전화까지 수시로 받아야 했으니 당시 인사부서 직원들은 얼마나 바빴을까? 연고지로의 전입 또는 비연고지로의 전출이 얼마나 불안정한 상황인가 하면 전보문서가 공람되면 사무실에서는 고개를 갸웃거리는 사람들이 대다수였다. 역시나 다시 전화통을 붙들고 복도를 서성이기 시작한다. '이번 전보 문서에서 저 사람은 왜 저기로 가는 것인지' 그리고 '다른 사람은 왜 여기로 오는 것인지' 등을 물어본다고 바쁜 것이다. 인사부서장이 공단 전자게시판에 인사 원칙을 게시하기는 하지만 여기에 세부내용이 있을 리 만무하다. 인사원칙에 해당하는 지침이 분명히 있는데도 매번 그 해의 인사 원칙을 게시판에 게시한다는 것은 매번 새로운 원칙이 그 해 전보에 적용됐다는 것을 사측 스스로 반증하는 것이기도 했다.

결국 어떤 사람은 몇 년 동안 연고지에서 생활하지 못 하고 전국을 떠돌아 다니는가 하면 또 어떤 사람은 무슨 대단한 조력자라도 있는지 한 번도 연고지를 떠나지 않은 사례도 있었다. 신규직원은 공단에 입사한 것 그 자체에 감사해야 하는 상황이라 항상 전보의 최우선 희생양으로 비연고 지역에 근무를 해야 했었고 승진자는 두말 할 것 없이 비연고 전보 1순위였다. 우리 공단은 서울과 경기도를 포함한 수도권 지역에 자릿수보다 사람이 더 많은데(과거 공단 본부가 인천 송내에 있었던 영향도 크다) 이 직원들은 지방으로 전보 가는 것을 극도로 꺼려했고 그러다 보니 자연스레 연계전보가 발생했다. 즉, 수도권에서 대전권으로 내려오면, 대전권 직원들이 대구권과 광주권으로, 그러면 다시 대구권에서 부산권으로 이어지는 연계전보였다.

한, 두 명이 움직이는 여파로 다른 지역에 가만히 있던 사람들도 줄줄이 움직여야 하는 비효율적인 전보가 매년 발생하고 있었다. 이런 상황이니 어떻게 일일이 전보 이유를 들어가며 설명을 하겠는가? 그냥 가라면 가고, 2년 있었으면 빨리 집에 보내달라는 이야기가 통하면 가는 거고, 그 마저도 경력이 짧고 연줄이 닿지 않으면 한 번 이야기 해보는 정도에 만족해야 할 수도 있었다. 30년 넘는 역사를 가진 공단의 안타까운 한 단면이었다.

9기 집행부의 과감한 시도

모든 집행부는 출범한 그 해 가장 의욕적이며 조합원들의 높은 지지율을 등에 업고 새로운 시도를 해 볼 수 있는 시기이다. 9기 집행부도 역시 그랬다. 사실 전보제도의 개선 필요성에 대해서 공단 조합원이라면 누구나 공감하셨지만 한 편으로는 잠자는 사자의 코털을 뽑는 것과도 비슷한 일이었다. 눈앞에서는 명분을 이야기 하고 공단 전보의 시스템적 개선을 이야기 하고 있지만 막상 제시된 개선(안)이 나에게 불리하면 하고 싶지 않은 것이 사람 마음이기 때문이다. 가고 싶은 자리는 한정되어 있고 아무도 비연고 생활을 하고 싶어 하지 않은 이 상황에 손을 대는 것 자체가 쉽지 않은 일이었다.

그럼에도 불구하고 전보제도는 누가 되었든지 한 번은 손을 대야 하는 일이었다. 최근에 입사한 많은 젊은 조합원들은 원칙 없는 전보제도에 납득을 하지 못 했고 나이가 어느 정도 있는 조합원들 역시 어떤 사람은 전국을 떠돌아다니고 어떤 사람은 계속 본인의 연고지에 있는 불평등을 받아들일 수 없었기 때문이다. 분명 쉽지 않은 일이지만 9기 집행부는 한 단계씩 준비해 나갔다. 무엇보다 전보제도 개선의 목적이 비연고를 없애겠다는 것과 같은 비현실적인 것에 있는 것이 아니라 우리 공단이 처한 여건상 비연고를 해야 한다면 원칙 있는 비연고를 할 수 있도록 제도를 개선함으로써 전보에 대한 불공정성을 없애고자 하였다.

구체적인 목적이 설정되었고 임기 1년차의 용감한 집행부답게 사측과 함께 인사 T/F를 꾸리고 본격적인 전보제도 개선 논의를 전개해 나갔다. 집행부는 몇 가지 핵심적인 요구사안들을 제시했다. 가장 먼저 기존 지침 수준에 있던 전보원칙을 더 높은 개념의 내규인 전보규칙으로 만들 것을 요구했다. 또한 대책 없이 연계전보가 발생하던 문제에 변화를 주기 위해 지역별 등급지를 구분함으로써 2등급지, 3등급지 지역의 조합원들이 불필요한 연계전보를 하지 않도록 했다. 뿐만 아니라 젊은 조합원들의 상황을 고려하여 출산과 육아에 대한 고충을 확대 반영하고, 중장년 조합원들의 상황을 고려하기 위해 질병이나 장애에 대한 고충 역시 확대 반영을 했다. 만약 강제전보가 없어지게 되면 본부 인력 충원에 대한 사측의 고민을 해결할 수 없는 관계로 본부 전보에 대한 원칙도 함께 제시를 했다.

그 해 전보규칙 개정은 예상대로 우리 공단의 뜨거운 감자가 되었다. 노동조합 지부장회의에서는 새롭게 제정되는 전보규칙(안)에 대해 우려 섞인 다양한 의견들이 제시되었고 전국의 인사업무 담당자를 대상으로 하는 설명회에서도 여러 가지 의견들이 제시되었다. 모든 의견을 다 반영할 수는 없었지만 다시 한 번 전보규칙의 내용을 다듬고 최종적으로는 이 규칙을 실행에 옮겼다.

첫 전보규칙의 적용

사실 9기 집행부 이전에는 매년 전보를 시행하고 나면 도대체 얼마나 비연고 직원이 양산되고 있는지에 대한 정확한 정보도 없었다. 천 명이 넘는 조합원들의 원칙 없는 전보인사를 일일이 추적 관리하기란 불가능한 일이기도 했다. 그래서 노동조합은 통상 고충이 있는 조합원들의 고충반영에 집중을 해 왔다. 그러나 이번에는 달랐다. 전보규칙 제정에 따른 효과를 확인할 필요가 있었기 때문에 권역 간 이동한 조합원들은 얼마나 되며 권역 내에서 이동한 조합원들은 얼마나 되는지를 확인해야 했다. 또한 무엇보다 신설된 전보규칙을 제대로 준수했는지에 대한 철저한 확인이 필요했다.

사측은 2022년 첫 3급 이하 조합원 전보결과를 노동조합에 제공했고, 그 결과 약 80%의 조합원들이 연고권역에 근무하는 것으로 나타났다. 전보규칙을 제정하기 전이었던 2021년 기준으로 우리공단의 전체 인원의 약 30~35%가 비연고 생활을 하고 있던 것으로 확인되었는데 이전 보다 나아진 결과였다. 무엇보다 등급지 설정으로 인해 불필요한 연계전보가 없어졌기 때문에 수도권 이외 지역에서 근무하는 조합원들의 만족도가 높았다.

반면에 새롭게 제정된 전보규칙 때문에 피해를 보았다고 문제를 제기하는 조합원들도 있었는데 원래는 가지 않아도 될 전보를 이번 규칙 때문에 가게 되었다는 조합원, 또는 강제로 본부 근무를 하게 되었다는 조합원 등이 일부 있었다. 어떤 제도를 새롭게 도입하게 되면 누군가는 상대적인 피해를 볼 수 있기 때문에 노동조합은 당연히 그 피해를 최소화하고자 노력한다. 그러나 이미 자신이 피해자라는 생각을 하고 있는 사람에게는 어떤 이유를 설명해도 잘 먹혀들지 않는 경우가 많다.

개인도 중요하지만 조직차원에서 전보제도를 바로 세우기 위해서는 만들어진 인사의 원칙을 지켜나가는 것이 중요했다. 지부장회의, 설명회 등을 통해 여러 번의 의견수렴 절차를 거쳐 만든 제도를 몇 명 피해보는 사람이 있다고 전면적으로 수정할 수는 없기 때문이다. 그리고 이런 문제를 제기하는 사람의 대부분이 20%에 해당하는 비연고 근무를 하는 조합원인 경우가 많았다. 결국 누군가는 비연고 근무를 해야 하고 전보규칙 제정 이전에도 이런 문제가 없었던 것은 아니기 때문에 일단 넘길 수밖에 없었다.

구성원 100%가 만족하는 전보는 없다. 아니, 있을 수가 없다. 그러나 원칙 있는 전보는 분명히 있다. 결론적으로 새롭게 만든 이 원칙은 현재 우리 공단에서 3년째 적용되고 있다. 그리고 전보는 여전히 조합원들 사이에서 민감한 문제이기 때문에 많은 조합원들이 노동조합에 질의를 하기도 하지만 이제 그 배경에는 전보규칙이 있다. 누군가는 본부 근무를 꺼려하고 또 다른 누군가는 어떤 지역에 가고 싶어 하지 않는다. 본인이 가기 싫다고 다른 사람을 보낼 수는 없는 노릇이다. 내가 싫은 것은 남도 싫기 때문이다. 차라리 가야 한다면 공정한 원칙에 따라 전보하는 것, 이것이 최선이다.

전보규칙은 다음 두 가지 메시지를 주고 있다고 볼 수 있다. 우리 공단처럼 울산 우정혁신도시로 이전한 기관의 비연고 근무를 최소화 하는 방법은 결국 누군가는 이 곳 울산에 정착해서 살아야 한다. 10년 전에 공단 본부가 인천 송내에 있었던 덕분에 많은 조합원들이 여전히 수도권에 살고 있듯이 말이다. 이렇게 되기까지 결국은 시간이 지나야 할 것이며 당분간은 이 시간을 버텨내야 한다. 그리고 1등급지에 근무하는 것은 개인의 자유지만 결국 인기지역은 상대적으로 전보의 빈도가 잦을 수밖에 없기 때문에 만약 가족과 개인의 안정적 삶이 중요하다면 1등급지는 다시 한 번 진지하게 고려해 볼 필요가 있다.

비연고 근무는 조합원의 생활과도 직결되는 중요한 문제이기 때문에 노동조합에서 남의 동네 불구경하듯이 지켜보고만 있을 수는 없는 문제이다. 그러나 이 문제는 우리 공단에 천지개벽이 일어나지 않는 한 누가 위원장을 해도 해결이 어려운 문제이기도 하다. 제로섬(zero-sum) 게임에서 승자와 패자를 나누기 보다는 다 같이 이 게임을 인정하고 누구도 패자가 되지 않도록 서로의 이해를 조금씩 나누는 것은 어떨까?

5. 단체교섭의 의미(feat. 단체협약과 임금협약)

단체교섭의 중요성

단체교섭이라는 용어를 이 책에서 설명하기에는 상당한 부담을 느낀다. 사실 수많은 대한민국의 노동 분야 전문가들이 단체교섭에 대해 설명하고 있고 우리 같은 현장 노동조합 일을 하는 사람들보다는 전문가들의 이야기를 통하는 것이 더 정확할 것이다. 이 책에서는 간단한 개념 정도만 언급하고 단체교섭이 우리 공단에서 어떻게 이루어지고 있는지, 그리고 노동조합에서 실무를 하고 있는 근로시간면제자의 입장에서 조합원들이 알기 쉽게 설명하는데 목적을 두고 이야기를 풀어볼까 한다.

단체교섭은 노동조합의 가장 큰 권한 중 하나이다. 우리 공단 단체협약서에도 그 내용이 명시되어 있지만(제11장 단체교섭) 헌법 제33조 제1항에 보장된 권리이며(근로자는 근로조건의 향상을 위하여 자주적인 단결권, 단체교섭권 및 단체행동권을 가진다) 노동조합 및 노동관계조정법은 이에 관한 구체적인 보장 규정을 두고 있다(제1조 목적, 이 법은 헌법에 의한 근로자의 단결권, 단체교섭권 및 단체행동권을 보장하여 근로조건의 유지, 개선과 근로자의 경제적, 사회적 지위의 향상을 도모하고, 노동관계를 공정하게 조정하여 노동쟁의를 예방, 해결함으로써 산업평화의 유지와 국민경제의 발전에 이바지함을 목적으로 한다).

사측에서 절대 무시할 수 있는 노동조합의 막강한 권한 중 하나가 단체교섭을 요구할 권리이고 사측은 단체교섭 대상으로 명시해 놓은 주제들에 대해 교섭에 임해야 한다. 여기에는 조합원의 노동조건과 관련되는 다양한 주제들이 있는데 기타 노사 간의 필요하다고 인정되는 내용까지를 포함한다면 거의 대부분이라고 해도 무방할 정도이다. 이렇게 강력한 권한을 노동조합에서 가지고 있음에도 불구하고 일부 조합원들은 노동조합의 협상력에 여전히 의구심을 품고 있는 경우도 있다. 일례로 '인사권은 사측의 전유물이 아니냐' '노동조합에서 노동조건에 대해 사측과 협의를 한다고 해도 얼마나 얻어낼 수 있겠느냐' 심지어 '결국 쇼 하는 것 아니냐' 등의 자조 섞인 비판의 목소리들이다.

그러나 노동조합은 그렇게 단순하게 이 문제를 보지 않는다. 법원의 판례를 검색해 보아도 단체협약의 내용 중 노동조합과 사전 협의를 하도록 하는 일부 조항이 경영권에 속하더라도 노동자의 노동조건과 밀접하게 관련이 있는 부분으로서 사용자의 경영권을 근본적으로 제한하는 것이 아니라면 단체협약의 대상이 될 수 있다고 보고 있다는 내용을 쉽게 찾아볼 수 있다. 중요한 것은 우리의 한계를 미리 정해놓고 사측과 협상에 임할 필요는 없다는 것이다. 그리고 어떤 주제라도 조합원들의 노동조건과 관련이 있다면 노동조합은 협상 대상으로 삼을 필요가 있다.

일선 지부의 조합원들과 만남을 가지거나 설명회(스킨십미팅)를 진행하다보면 이런 질문들을 쉽게 접한다. '그런데 단체협약이 어느 정도 효력이 있는 것인가요?', '실제로 지켜지고 있는 것인가요?' 단체교섭은 당당한 노동조합의 권리이자 노동조합이라면 당연히 요구해야 하는 것이라고 여러 번 설명해도 스스로 주눅 드는 분위기는 아직 어쩔 수가 없는 것 같다. 하지만 분명 이야기하건대 단체교섭을 통해 노사 간에 체결한 단체협약은 우리 공단에서 법과 같은 존재이다. 단체협약이 있기 때문에 이것을 근거로 모든 공단의 내규와 지침이 만들어지고 있으며 단체협약을 위반했을 때에는 법적인 책임도 물을 수 있다. 실제 노사관계가 악화되었을 때는 상호간에 단체협약 위반사항에 대해 문서를 시행해서 추후 법적 분쟁을 대비하기도 한다. 그래서 아무리 작은 건이라도 일단 단체협약 위반사항에 대해 노동조합에서 언급하면 사측에서 재빨리 꼬리를 내리는 경우도 많다. 이 협약서가 절대 장난이 아님을 알게 해주는 일례이다.

결국, give and take

단체교섭이 조합원으로부터 위임받은 노동조합의 강한 권한과 힘이라고 하더라도 이것은 노동조합만을 위한 것은 절대 아니다. 노동조합 및 노동관계조정법의 목적에도 언급되어 있듯이 결국은 공정한 노사관계를 위한 하나의 수단과 방법이기 때문에 사측 역시 이 협약서를 기반으로 다양한 노사관계를 전개할 수 있다. 소제목 그대로 사실은 'give and take'이다. 사소한 것은 노사 간의 협의를 통해 조율하고 조정할 수 있다 하더라도 결국 공단의 법과 같은 단체협약서의 내용을 개정할 때에는 아무것도 내 주지 않으면서 원하는 것만 얻어올 수는 없다.

보통 공공기관의 사측이 원하는 것은 간단하다. 현 정부의 지침을 준수할 수 있도록 단체협약서의 내용을 개정하는 것이다. 과거에는 '방만경영'이라는 이름으로 공공노동자들에 대한 압박이 있어 왔고, 최근에는 '공공기관 혁신'이라는 이름으로 공공기관 노동자들을 옥죄이고 있다. 반면 최근 노동조합에서 원하는 것은 사기업처럼 새롭고 창의적인 것들이 아니라 최소한 현재의 노동조건이라도 지켜내고자 하는 것이 주를 이룬다. 노동조합이라는 거창한 타이틀이 아니더라도 공공분야에서 업무를 하고 있는 노동자의 입장에서 이야기를 하자면 공공기관을 옥죄이는 정권의 프레임은 이제 식상 할대로 식상한 레파토리 중 하나이다. 그리고 이렇게 공공기관을 옥죄여서 국민들에게 돌아가는 실질적인 이득은 무엇이 있을까를 생각해 보면, 결국 작금의 현실은 공공기관 노동자들의 이직률만 높였다. 물가인상률에도 못 미치는 공공기관 노동자의 임금인상률과 더불어 지난 몇 년 간의 부동산 상승 여파는 결국 신규직원들에게 일할 의욕을 상실하게 만들었기 때문이다.

잠시 사회적인 이야기를 했지만 이렇게 노사 간에 서로 원하는 것이 복잡한 것이 아님에도 불구하고 매번 단체협약을 위한 교섭 자리는 난항을 이룬다. 노동조합은 단 하나라도 얻어오는 것 없이 쉽게 내어 줄 수 없으며, 사측은 정부에 뭐라도 이야기를 하려면 사소한 것이라도 양보가 쉽지 않다. 사실 노동조합의 입장에서 참 이해하기 어려운 것 중 하나가 이런 공공기관의 교섭에서 우리 기관의 입장만을 놓고 보자면 아무리 정부기조가 그렇다 하더라도 정권이 천년만년 유지되는 것도 아니다. 심지어 지난 몇 년간 이어져온 공공기관 압박 프레임 역시 그 효과성이 의심스러운 마당에 노동조건 악화는 최소화하는 것이 조합원 뿐만 아니라 간부를 포함한 구성원 모두가 윈윈(win-win)하는 전략일 것 같은데 일부 간부의 경우에는 진짜 다 뺏어가야겠다는 마음으로 교섭에 임하는 사람이 있다. 도대체 무슨 부귀영화를 누리려고 그러는지 이해가 불가하다.

이야기가 잠시 새기는 했지만 결론적으로 '주고받는 것'이 교섭의 기본임에는 반박의 여지가 없다. 그리고 노동조합이 어떤 전략과 전술로 교섭에 임할 것인가는 집행부의 협상력이고 실력이다. 그리고 조합원들의 입장에서는 이렇게 중요한 단체교섭 과정을 눈 여겨 볼 필요가 있다. 한 편으로는 다양한 의견 개진이 필요하며 할 수 있다면 이 과정에 참여해 보는 것도 필요하다. 단체협약서의 문구 하나하나에는 그 동안 노사 간에 주고받은(give and take) 공단의 역사들이 내포되어 있는 경우가 많기 때문이다.

한 번의 단체협약과 세 번의 임금협약

우리 공단 단체교섭의 핵심은 2년에 한 번씩 이루어지는 단체협약과 매년 연말에 이루어지는 임금협약이다. 9기 집행부에서는 2022년 제10차 단체교섭의 장이 열렸고 2021년부터 2023년까지 총 3번의 임금교섭의 장이 열렸다. 보통 이런 교섭의 장은 위원장과 이사장이 대면하는 본교섭부터 시작해서 본격적으로 실무선에서 교섭안에 대한 논의를 전개하는 실무교섭, 그리고 최종 교섭안이 타결되었을 때 다시 노사의 장들이 함께 대면해서 최종 협상 자리를 갖는다.

3년의 집행부 기간 동안 이사장이 한 번 바뀌고, 이사들이 중간에 한 두 명씩 바뀌었으며, 노사업무를 담당하는 부서의 장이 바뀌기도 했는데 집행부는 꿋꿋이 그 자리를 지켰다. 처음에는 이 협상 자리가 어색하기만 했지만 어느덧 시간이 지날수록 집행부에도 여러 가지 협상의 레파토리가 생기기 시작했고 여유를 부릴 수 있는 요령도 생기기 시작했다. 노사 간의 얼굴을 붉히고 서로의 마음에 상처를 주는 이야기를 주고받기도 했으며, 때로는 언제 그랬냐는 듯이 웃으며 자리를 마무리하기도 했다.

무엇보다 협상의 자리에서 노동조합을 전문가로 만들어 주는 것은 '기억보다는 기록'이었다. 앞에서도 언급했지만 회사가 강력한 협상의 무기를 가지고 있는 것이 무엇이겠는가? 바로 스토리라인을 알고 있는 직원을 가지고 있다는 점이다. 여기에 대응하는 유일한 방법은 노동조합도 기억에 의존할 것이 아니라 스토리를 기록하고 정리하는 작업을 해야 한다는 것이었다.

9기 집행부 3년 동안 다양한 내용들이 기록이 되었다. 그리고 3년 동안 사측의 사람들이 바뀌더라도 노동조합에서 기록한 내용들은 노동조합 협상의 강력한 무기들이 되어 가고 있었다. 지나간 말은 아무도 인정해 주지 않지만 기록해 놓은 여러 스토리들은 절대 무시할 수 없는 노사 간의 기록이기 때문이다. 9기 집행부를 마무리하고 10기 집행부를 시작해야 하는 이 시기는 노동조합의 근로시간면제자의 변화를 꾀해야 하는 시기이기도 하다. 그러나 노동조합이 '無'에서부터, 마치 처음 하는 경험과 과거 기억에 의존해서 노사 간의 협상에 임한다고 생각한다면 이는 사측의 착각이다.

6. 우리 노동조합은 왜 사업과 조직에 관심이 많은가

산재예방 사업의 논란과 잡음

우리 공단은 특성이 하나 있는데 바로 구성원 모두가 우리가 하는 산재예방 사업과 이를 실행할 조직에 상당히 관심이 많다는 점이다. 아니, '상당한'이라는 용어보다는 '아주' 많다고 하는 것이 더 정확한 표현일 것 같다. 보통의 회사를 생각하면 1급과 2급에 해당하는 간부들이 회사를 이끌어 가는 사람들이기 때문에 이 사람들이 주로 사업과 조직에 더 큰 관심을 가지고 있으며 3급 이하의 조합원들은 주로 따라가는 역할을 할 것 같지만 우리 공단은 그렇지 않다. 3급 이하의 조합원들 역시 사업과 조직에 관심이 많다.

일례로 노동조합에서 주관하는 분기별 지부장회의를 개최하면 회의내용의 70% 정도가 지금 수행 중인 산재예방 사업의 세부적인 방법이나 문제점에 대한 것들이다. 이것은 일선 지부의 설명회(스킨십미팅)나 원데이상담소(조합원 개인면담 중심의 본조 활동)를 가더라도 마찬가지이다. 조합원들은 올 해 사업목표량 달성지표가 업무수행에 상당한 부담을 주고 있다든가, 심지어 제대로 된 산재예방사업을 하려면 물량 중심의 사업보다는 전문성이 가미된 사업을 해야 하는데 노동조합에서 가지고 있는 대책이 무엇인지 물어본다. 얼마 전 10기 집행부 선거 유세를 전국적으로 했는데, 전국 지부에서 공통적으로 나온 질문이 10기 집행부 공약 중 전문성 강화 공약 관련 내용이었다(현재 공단의 전문직 체계를 어떻게 개편한다는 것이냐, 광역본부 단위 사업을 어떻게 일선기관 수행체계로 바꾼다는 것이냐 등).

왜 이렇게 우리 조합원들은 임금을 받는 대가로 하는 것 같은 사업수행에 대한 궁금증과 요구사항이 많을까? 사실 노동조합에서 보자면 노동조건에도 해당된다고 보는 것도 맞는 이야기이다. 일을 할 수 있도록 주어진 시간은 제한되어 있는데 각 기관별 할당된 사업물량에 따라 하루에 몇 개소의 사업장을 더 방문하느냐 마느냐 여부는 분명히 노동조건에 영향을 미치기 때문이다. 그러나 우리 조합원들이 이야기하는 산재예방 사업의 전문성 부분을 따져보자면 단순히 물량 몇 개냐 정도의 논리와는 차원이 다르다. 지금도 우리 공단 홈페이지를 들어가 보면 공단의 비전은 '최고의 산재예방 서비스 전문기관'으로 되어 있다. 입사 이후 주구장창 선배들로부터 들어왔던 이야기가 우리 공단은 기술집단이기 때문에 전문성이 있어야 한다는 이야기였다. 그리고 전문성 있게 공단 사업을 하려면 기사 자격증은 기본이고 최소한 기술사, 박사 정도는 준비를 해야 하고 실제로 취득도 해야 한다는 이야기도 많이 들어왔다.

어떻게 보면 과거부터 꾸준히 전문성에 대한 내부구성원들 간의 언급이 있어왔던 것은 상급부처인 고용노동부의 관계와도 무관하지 않을 것이다. 우리 공단은 여러 정부부처와 산하기관 중에서 몇 안 되는 정부부처와 거의 동일한 업무를 하고 있는 기관 중 하나이다. 즉, 고용노동부의 산업안전보건본부에서 산재예방정책을 주관하고 우리 공단에서 산재예방 사업을 수행하는 형식이다. 그러다보니 여러 가지 사업들이 고용노동부와 얽혀있고 정책을 수립하고 집행하는 역할이 정부부처라면 이를 보조하고 실행해야 하는 공단의 입장에서는 다른 무엇보다 전문성이 강조될 수밖에 없었을 것이다. 그리고 실제로 공무원 시험을 통과해서 현장에 배치된 근로감독관에 비해 공단 직원들은 안전(전기, 기계, 화공 등), 보건(산업위생, 인간공학, 건강관리 등), 건설(토목, 건축 등) 분야의 대학전공을 가지고 공단에 입사했다. 이렇게 이공계적 배경지식을 토대로 산재예방 사업을 수행하기 때문에 산업안전보건법과 규칙에 대한 적용과 이해가 높았다. 그리고 감독중심의 고용노동부 역할에 비해 예방에 비중을 두고 있는 우리 공단은 그 역할을 제대로 하기 위해서도 산재예방사업의 전문성은 스스로 지키고 한 편으로는 더 높여야 할 가치이자 이유가 되었을 것이다.

그러나 매번 정부정책이 성공을 하는 것이 아니듯이 산재예방 사업 분야도 지금 눈앞에 보이는 정권의 목표달성을 위한 정부정책을 따라 가다보면 전문성이 도마 위에 오르는 경우가 많았다. 당장 눈앞에 산업재해율을 줄이기 위해서는 꼼꼼하게 시간을 요하는, 즉 전문성을 가지고 해 나가야 할 사업보다는 쉽게 빨리빨리 달성할 수 있는 사업에 치중해야 할 때가 많았던 것이다. 소위 말하는 물량사업이었다. 하루에 사업장 하나라도 더 많이 나가야 했고 여러 곳의 사업장을 다니다 보면 사업의 질은 떨어지기 마련이다. 사업의 질이란 곧 전문성을 의미하기도 한다.

이런 와중에 2019년 이후 우리 공단은 여느 공공기관이 그러했 듯이 다수의 신규직원들이 자리를 차지하기 시작했고 엎친 데 덮친 격으로 당시 이사장은 단편적 물량사업에 사활을 걸던 사람이었다. 그 사이 많은 선배들이 퇴직했고 한 번 무너지기 시작한 공단의 전문성은 방향타를 잃어버린 듯 했다. 다행히 이 문제를 지켜보고 있으면서 끊임없이 일관된 문제를 제기했던 유일한 공단의 조직이 있다면 바로 노동조합이었다.

노동조합은 정부의 요구가 있더라도 모든 직원이 물량 사업에 내몰리는 것은 막아야 한다고 주장했고 최소한 전문성 있는 법정사업은 수행할 수 있는 인력을 배치해야 한다고 주장했다. 그리고 정부경영평가에도 반영되지 않는 내부사업 목표량 달성도(물량사업의 지표)로 조합원을 옥죌 것이 아니라 산재예방사업의 충실을 기할 수 있도록 인력의 여유를 가질 필요성을 역설했다. 미약하나마 그 결과들이 단체협약에 반영되어 우리는 타 단사에서 찾아보기 힘든 공단의 사업계획에 관심과 참여를 가지는 노동조합이 되었다.

매년 부서명을 바꾸는 공단 조직

산재예방 사업만큼이나 노동조합에서 많은 관심을 가지고 있는 것이 공단의 조직이다. 사업에 관심이 많기 때문에 그 사업을 수행하는 조직에 대한 관심이 많은 것은 당연지사라고 생각할 수도 있다. 또 앞에서 우리 노동조합 투쟁이야기를 읽어봤다면 노동조합이 지역부서제라는 내부조직개편으로 그 만큼 고통 받았기 때문이라고 생각할 수도 있다. 다 맞는 이야기이다. 그런데 여기서는 이 문제를 하나 짚고 싶다. 다른 공공기관도 그런지는 모르겠지만 이렇게 매년 조직을 개편하는 공공기관이 있는가? 매년 조직을 개편하다보니 기관명과 부서명이 한 두 해 만에 바뀌는 것은 기본이다. '하는 일에 변화가 있으니 조직을 개편하는 것이 아니냐'는 질문을 할 수 있는데, 그렇지 않다. 지난 십수년 공단의 산재예방 사업은 그 제목과 수행 방법에 있어 일부 변경은 있었다는 것은 사실이지만 기본적인 산업안전보건법의 테두리 안에서 전체적인 사업의 형태는 크게 바뀐 것이 없다.

　그런데 왜 매년 조직개편을 하는 것일까? 조직개편을 담당하는 부서에서는 이런저런 사유들을 노동조합에 가지고 오는데 솔직히 이야기하자면 노동조합은 이해를 할 수가 없다. 옳든 그르든 몇 년 전 지역부서제 라는 이사장의 생각이 담긴 조직개편이라면 그래도 목적이 분명하니 그렇다고 치지만 매년 이루어지는 조직개편은 그런 목적이 불분명한데도 여전히 이루어지고 있다. 그리고 이것이 조직에 얼마나 큰 피로감을 주고 있는지 3급 이하 조합원들은 말할 것도 없고 심지어 1급, 2급 간부들조차 매년 조직개편을 해야 하는지에 대한 의구심을 표출하고 있는 상황이다.

　공공기관이라면 전국에서 민원인들의 기관방문은 기본인데 어떤 해에는 A라는 사업을 '산업안전부'라는 부서에서 처리하고, 그 다음 해에는 똑같은 A라는 사업을 '안전보건○○부'라는 듣도 보도 못한 새로운 명칭의 부서에서 처리한다고 안내를 한다. 공단을 자주 방문하는 사업장 담당자들은 '올해는 또 부서명이 이렇게 바뀌었네요' 라고 웃어넘길 정도이다. 이런 조직개편으로 한 해 소모되는 명패와 명함 교체비가 얼마나 될까?

그나마 사업은 전문성에 대한 구성원들의 고민과 연관이 있다면 조직개편은 도저히 내부적으로는 해결이 안 되고 외부의 지적을 받아서라도 개선을 해야 할 수준이다. 이 글을 사측의 조직개편 담당 부서에서 읽는다면 '노동조합이 뒤통수치는 것 아니냐' 라는 생각을 할 수도 있지만 만약 그렇게 받아들인다면 노동조합이 아니라 전국의 직원들에게 왜 우리가 매년 조직 개편을 해야 하는지에 대해 당당하게 납득시켜 보시기 바란다. 물론 지금은 과거와 같은 밀실 조직개편 수준은 아니다. 하지만 분명한 것은 하는 일은 똑같은데 부서만 이 조직에 붙였다 저 조직에 붙였다 하는 식의 조직개편은 국가적으로 그리고 공단 내부적으로 상당한 문제를 불러일으키고 있다는 것을 이번 기회에 다시 한 번 강조한다.

한 편으로 우리 공단을 방문하는 사업장 담당자 및 민원인들 역시 이런 내부적인 문제점을 수년째 겪고 있다는 것을 인지할 필요도 있다. '왜 이렇게 매년 부서명이 바뀌냐'는 질문을 전국에 있는 우리 직원들이 받고 있는데 그 누구도 명쾌한 대답을 제대로 못하고 있는 현실이니 노동조합이라도 내부 상황을 알려야 하지 않겠는가? 그리고 매년 조직개편을 한다는 것 그 자체도 어불성설인 것이 '그렇다면 작년 조직 개편 자체도 잘못되었다'는 것을 사측 스스로 인정하는 것 아닌가?

산재예방 사업의 전문성과 일관성, 결국 노동조합이다!

이제 산재예방 사업의 전문성을 지키자는 것, 그리고 이를 위해 우리의 조직과 인력을 재편하자는 것은 10기 집행부의 공약이 되었다. 임금을 올리고 복지를 향상시키는 것도 중요하지만 조합원들이 이렇게 관심을 가지고 있는 산재예방 사업, 조직과 인력 문제를 더 이상 가만히 지켜보고만 있을 수 없는 시점에 왔기 때문이다. 실제 외부에서는 공단의 전문성에 대해 의구심을 가지는 시각들이 있으며 내부 구성원들은 산재예방 사업의 전문성을 위해 변화를 시도하는 조직이 아닌 습관적인 조직개편에 신물이 날 지경이다. 이런 내·외부 환경은 유일하게 공단에서 일관성을 가지고 산재예방 사업을 바라보고 있는 조직인 노동조합이 움직일 수밖에 없다는 명분을 주고 있다.

왜 노동조합이 이렇게 공단의 사업에 관심을 가질 수밖에 없는지에 대해 설명하고 있지만 그래서 '산재예방 사업의 전문성을 어떻게 찾을 수 있냐'고 반문한다면 노동조합은 산재예방 사업의 '일관성'에서 그 답을 찾고 싶다고 이야기 하고 싶다. 분명한 것은 우리 공단은 산재예방 사업의 최일선에서 직접 움직이는 전문가이며 그 중심에 조합원과 노동조합이 있다. 그 동안 다양한 산재예방 사업을 시도했었고 해외의 정책과 사업들을 벤치마킹하기도 했다. 어떤 때는 3~4개월짜리 소위 말하는 '100일 작전'이라는 명목의 사업을 하기도 했고, 어떤 때는

2~3년 동안 하나의 사업만 하기도 했다.

이 모든 것이 산재예방에 아무런 효과가 없었다고 이야기 할 수는 없지만 유일하게 한 가지 제대로 못해 본 것이 있다면 꾸준히 일관성 있게 사업을 수행해 본 경험이라고 말하고 싶다. 하나의 사업이 제대로 실효성을 내기 위해 인력을 체계적으로 보강하고, 그 인력들에 대한 전문성 있는 교육을 해 내가며, 사업의 내실을 다지기 위해 약간의 시대에 맞는 변화들을 가미해 가며 정교화 해 나가는 일관성 말이다. 조합원들은 이런 방식의 일관성 있는 산재예방 사업이 분명히 산재예방의 효과성을 담보할 수 있을 것이라고 보고 있다.

그러나 지난 수년간 공단은 그렇게 하지 못 했다. 매번 단편적인 사업에 수많은 인력을 투입하다보니 전문성과 정교화를 기해야 할 사업은 방치되고 있었으며, 인력을 보강하고 교육을 가미해야 할 부분에 있어서는 실효성 없는 교육(심지어 6개월 동안 아무 일도 안 시키고 교육만 한 사례도 있다)과 전공을 제대로 고려하지 않은 인력채용을 하는 등 일일이 문제를 나열하자면 끝이 없다. 산재예방 사업의 방향성에 대해서는 다른 기회에 더 많은 이야기들을 할 수 있으면 좋겠다. 하지만 분명한 것은 이제 이런 문제를 경영진에 맡겨만 두고 있지 않을 것이라는 점이다. 산재예방 사업이 정상궤도에 오르기 위해 반드시 해야 하는 것, 바로 우리 내부의 인력재편이다. 그리고 효과성 있는 산재예방 사업을 추진하기 위해 반드시 해야 하는 것이 산재예방 사업의 일관성을 확보하는 일이다. 그 역할을 노동조합에서 해 볼 것이다.

4장

소통과 감동을 만드는 노동조합

노동조합 활동을 어렵게 했던 코로나19부터 노동조합의 소통과 MZ세대 조합원 이야기, 노동조합이 해결할 수 있는 일과 해결할 수 없는 일들, 그리고 업무직(공무직)과 대동제까지 노동조합 안에서 벌어지는 다양한 주제별 이야기들을 풀어보고자 한다. 각 주제의 주체가 되는 조합원들의 개인적인 생각이 다를 수도 있고 한편으로는 서로가 잘 몰랐던 생각일 수도 있다. 정답은 없지만 모든 것들이 소통의 과정이라 생각한다. 그리고 이 과정 자체를 느끼고 때로는 감동으로 만들 수 있는 것이 노동조합이다.

1. 코로나19를 대처하는 방법

코로나19에 따른 노동조합의 상황 변화

코로나19는 세상을 바꾸어 놓았다. 2020년은 8기 집행부의 임기 3년차에 접어들던 해였는데 그 해 초에 코로나가 전국적으로 발생하고 확산하기 시작했을 때 노동조합 사무실 분위기가 기억난다. 대구지역에서 대규모 코로나 환자가 발생했다는 소식이 언론에 보도될 무렵이었는데 당시 사무처장(8기)은 사무실에 마스크를 쓰고 출근해서는 '모두 빨리 마스크를 써야 한다'고 했다. 무슨 뚱딴지같은 소리를 하고 있는 건가라는 생각을 했다. '이렇게 또 난리법석 떨다가 곧 잠잠해지겠지 마스크는 무슨' 이런 생각이었다.

그러나 우리는 그 해 대의원대회를 처음으로 비대면 모바일 표결로 진행했다. 이후 모든 노동조합 행사는 연기 또는 취소가 되었다. 매일 사측과 진행되는 업무협의의 주요 내용은 상급기관에서 방역 지침이 내려왔는데 회사의 방역수칙을 어떻게 운영할 것이며, 자가 격리는 어떻게 할 것인지 등에 대한 내용이었다. 심지어 엘리베이터는 어떻게 분리 운영하고 식당에서 밥은 어떻게 먹어야 하는지에 대한 내용들도 있었다.

특히, 2020년은 노동조합 창립 20주년이라 노동조합에서는 의미가 있는 해였으며 역대 집행부에서 그랬듯이 임기 3년 중 한 번은 개최하는 전체 조합원들이 한 자리에 모이는 '대동제'를 위한 준비를 시작하고 있었다. 연초부터 대동제 개최 시점과 적당한 장소 물색을 하고 있었는데 이는 곧 필요 없는 일이 되었다. 다 취소하기로 결정했기 때문이었다. 사람을 만나는 일이 노동조합의 주된 일인데 사람을 만나는데 제한이 있으니 아무엇도 할 수 있는 일이 없었다. 그렇게 그 해 8기 집행부는 3년을 함께 동고동락했던 상무집행위원들과 제대로 된 저녁식사 한 번 하지 못 하고 칸막이가 세워진 회사 식당에서 각자의 점심 도시락을 먹는 것으로 집행부 활동을 마무리해야 했다. 이런 상황 속에서 2021년 9기 집행부는 새롭게 출범을 했다.

적응해야 살아남을 수 있다!

사람은 적응의 동물이다. 그리고 그 사람이 속해 있는 노동조합 조직 역시 하나의 생물과 같은 곳이기 때문에 여러 상황에 적응해 나간다. 아니, 이런 코로나 상황에 노동조합은 적응해야 했다. 2020년은 코로나 상황이 가장 심각했던 시기라 내외부적인 노동조합 활동 시도조차 쉽지 않았다. 하지만 2021년은 이런 상황에 나름의 적응을 해 가고 있던 시기였고 노동조합 역시 가만히 손 놓고 있을 수는 없었다.

9기 집행부는 이 상황 속에서 할 수 있는 것을 찾아보고 할 수 있는 것이 있다면 가능한 모든 방법으로 적극적으로 해보자는 생각을 했다. 첫 대의원대회는 기존 방식대로 비대면 모바일 표결로 진행하기로 했다. 과거와는 달리 심의의결 해야 하는 안건에 대해서는 유튜브로 설명을 하고 질의응답을 다음 카페(노동조합 홈페이지)나 유선으로 받았다. 운영위원이나 지부장들과의 회의도 자연스럽게 카카오톡 또는 유튜브 등을 활용한 화상회의 형식으로 진행했다.

봄이 되자 조금 더 적극적인 어떤 것을 해 보고 싶었는데 한 가지 떠오른 아이디어가 '걷기대회'였다. 그래서 우리는 5월 1일 노동절을 기념해서 4월부터 '전 조합원 걷기대회'를 개최했는데 당시 이 방법이 다른 노동조합 단사의 이목을 끌었다. 전국의 조합원들이 각자의 위치에서 자신이 할 수 있는 방법으로 4월 한 달 동안 걷는 것을 기본으로 참여한 조합원의 그 날 그 날의 걸음수가 하나의 어플리케이션(App, 나중에 알고 보니 이런 종류의 App이 제법 있었다)을 통해 경쟁하듯이 순위가 나오는 것이었다. 쉽게 이야기 하자면 개인 모바일을 활용한 비대면 방식의 걷기대회였다. 이 행사가 매일노동뉴스의 기사(안전보건공단노조 노동절 맞이 걷기대회, 매일노동뉴스 21.05.03,자)에 실릴 정도였으니 결과는 대성공이었다. 전국의 수많은 조합원들이 이 행사에 참여했고 한 달 간 최다 걸음수를 기록한 조합원들에게는 집행부에서 노동절 기념 포상을 진행했다.

7월에는 우리 노동조합만의 '양성평등의 날'을 제정했다. 기존에는 3월 8일에 있는 여성의 날을 맞이하면 여성 조합원만을 대상으로 조촐한 행사를 했었는데 요즘은 양성평등으로 그 관심사가 변경되는 추세라 남성과 여성 모두를 대상으로 하는 행사로 새롭게 기획한 것이다. 우리가 제정한 양성평등의 날은 7월 7일이었다. 세계여성의 날(3.8.)과 남성의 날(11.19.) 그 중간 즈음에 있는 날을 곱다 보니 7월 7일이 적당해 보였다. 마침 견우와 직녀가 만난 날도 칠월칠석이지 않은가?

우리는 절대적 성평등이 아니라 상대적 성평등을 추구한다는 의미를 부여하고 전체 조합원이 각 지부에서 그 의미에 맞는 행사를 진행할 수 있도록 했다. 함께 모여서 다 같이 무엇을 하는 것은 아니었지만 각자의 위치에서 우리가 정한 양성평등 날의 의미를 생각하며 포스터를 붙이기도 했고 모바일 어플리케이션(App)으로 사진을 찍기도 했으며 야외의 모처에서 몸은 떨어져있지만 함께 하는 활동을 하기도 했다. 물론 열심히 참여하고 그 결과가 나름의 의미가 있는 지부에게는 상무집행위원회의 심의를 통해 집행부 포상을 진행했다.

계속되는 코로나 상황 때문에 기존 방식대로 전국 지부를 순회하며 현안설명을 할 기회(스킨십미팅)를 잡기가 쉽지 않았다. 그래서 2022년에 새롭게 시도한 아이디어는 '원데이(Oneday)상담소'였다. 다 같이 모이는데 인원 제한이 있으니 모이는데 주력을 할 것이 아니라 '개인 상담'을 진행해 보자는 취지였다. 어차피 다 같이 모인 자리에서는 개인적으로 궁금한 것이 있어도 손들고 질문을 하기가 어려우니 이참에 1:1 상담 환경을 본조에서 만들어 본 것이었다. 센터권을 제외하고 전국에 흩어져있는 지부가 32개소였는데 연간 방문 일정을 잡고 근로시간면제자 1~2명이 지부를 방문했다. 지부 노동조합 사무실에서 하루를 보내며 자유롭게 찾아오는 조합원들을 만나고 그들의 고충, 건의사항, 또는 여러 이야기를 들어주는 방식으로 진행했다.

역시 결과는 만족스러웠다. 어떤 지부는 줄을 서서 조합원들이 찾아오기도 했고 또 어떤 지부는 조용히 하루가 지나가기도 했다. 원데이상담소를 많이 찾아온다고 흥행에 성공했고 아무도 찾아오지 않는다고 흥행에 실패했다고 단편적으로 볼 필요는 없었다. 많이 찾아오는 지부는 그 나름의 사연이 있고 조용한 지부는 또 그 나름의 이유가 있었다. 그렇게 원데이상담소는 9기 집행부의 또 다른 소통방식으로 자리를 잡아갔다.

시대에 맞는 새로운 소통채널의 가동(feat. 바람터, 다음카페 등)

코로나가 세상을 바꾸어 놓았다는 것은 결국 새로운 시대가 전개되고 있다는 의미이기도 하므로 노동조합도 시대변화에 발맞추어 새로운 소통채널이 필요했다. 과거부터 이용해오던 것은 노동조합 홈페이지였다. 그 이외에는 공단의 내부전산망인 나누리(ERP) 메일이 전부였다. 막상 쓰고 보니 정말 이렇다 할 소통 채널이 없었던 것 같다. 9기 집행부는 출범하자마자 여러 가지 소통채널에 변화를 시도했다.

홈페이지 이야기부터 하는 것이 좋을 것 같은데 일정 규모가 되는 노동조합이라면 대부분 자체적으로 홈페이지를 운영하고 있을 것이다. 우리 단사 역시 홈페이지를 별도로 운영하고 있었고 매번 집행부가 출범하면 홈페이지부터 새롭게 단장을 했다. 그런데 실상을 살펴보자면 예전부터 노동조합 홈페이지는 이러지도 저러지도 못 하는 애물단지였다. 무슨 말인고 하니 사실 우리 노동조합의 경우 홈페이지 이용률이 그렇게 높은 편이 아니다. 그래서 집행부는 홈페이지를 새롭게 단장함으로써 조합원의 관심을 끌어보고자 했지만 투입된 비용 대비 효율성은 상당히 낮았다.

특히, 로그인 방법, 아이디 관리, 탈퇴하고 나면 다시 재가입하기가 번거로운 점, 그리고 최근에는 대다수의 사람들이 모바일을 활용하다 보니 PC를 활용한 홈페이지 이용률은 오히려 낮아지는 등의 문제점이 있었다. 어떤 조합원은 '아예 모바일 체계로 홈페이지를 개편하는 것이 어떻겠냐'는 의견을 주기도 했지만 문제는 비용이었다. 특히, 모바일 체계로 홈페이지를 운영하다 보면 스마트폰 운영체계(iOS, 안드로이드)에 맞추어 이중으로 시스템을 가동해야 했고 매번 업데이트 되는 스마트폰 운영체계에 맞추어 모바일 홈페이지 역시 함께 업데이트를 해야 한다는 점은 추가 비용을 발생하게 한다.

그래서 우리는 과감히 기존 홈페이지를 포기하고 완전 무료로 이용이 가능한 '다음 카페(daum cafe)'에 노동조합 홈페이지를 꾸리기로 결정했다. 기존 홈페이지는 아예 없애기 보다는 사이트 이용료 정도만 지불하고 일종의 기록 보존 차원에서 남겨두었다. 다음 카페는 간단해서 좋았다. 조합원 개인이 이미 가지고 있는 자신의 아이디로 카페 가입을 하면 집행부에서 가입 승인 및 등급 처리만 해 주면 되었다. 기존 홈페이지는 게시판을 하나 새롭게 생성하려고 해도 외부 홈페이지 관리자의 손을 빌어야 했고 이 역시 비용과 연결되었는데 다음 카페는 언제든지 게시판을 쉽게 생성할 수 있어 편리함에 있어서는 비할 바가 안 되었다. 무엇보다 노동조합 입장에서 비용이 들지 않는다는 것은 가장 큰 장점이었다.

모바일 카페를 생각하면 대부분 네이버(naver)를 떠올리는 사람들이 많은데 다음 카페를 노동조합 홈페이지로 선택한 이유는 익명게시판 기능에 있었다. 안타깝게도 최근 네이버 카페는 이런저런 사유로 익명게시판 기능을 운영하지 않고 있었다. 기존 노동조합 홈페이지에서 그나마 조합원들의 글이 올라오는 것이 익명게시판 때문이다. 그래서 익명게시판 기능 정도는 그대로 가져갈 필요가 있다고 보고 최종적으로 다음 카페를 선택하게 되었다.

잠시 여담이지만 익명게시판을 이야기 하면 자연스럽게 블라인드(Blind App)이야기를 하지 않을 수가 없다. 지금도 여전히 일부 조합원들은 노동조합 다음 카페의 익명게시판 보다는 블라인드를 더 선호하는 것 같다. 게시되는 글의 개수에서 확연히 차이가 있기 때문이다. 9기 위원장 선거 준비가 한창일 때 우리 공단도 다른 여느 일반적인 회사들과 마찬가지로 블라인드가 조직의 뜨거운 감자였다. 완전한 익명성을 보장한다는 것 때문에 블라인드는 온갖 공단 내외의 이야기를 할 수 있는 신나는 놀이터였다(블라인드 입장에서 보자면 대성공을 거둔 셈일 것이다).

물론 이 공간은 조합원만을 위한 곳이 아니다. 사측의 사람도 있을 수 있고 퇴사한 사람이 있을 수도 있으며, 때로는 인턴 직원이 있을 수도 있다. 공단 이메일을 어디까지 만들어 줬는지 모르지만 이메일만 있으면 누구나 가입할 수 있으니까 말이다. 어쨌든 여기서 말하는 완전한 익명성은 도대체 여기 있는 사람들이 현재 우리 조직의 구성원이 맞는지에 대한 기본적인 전제 조건 조차 무너뜨리는 공간이 되면서 당시 거대한 신흥 세력과 같은 느낌이었다.

블라인드에 올라오는 글들은 어디까지 믿어야 하는가? 그리고 공단의 정책방향을 결정하는 한 축인 노동조합 입장에서 블라인드의 의견들을 검토사항으로 고려하는 것이 맞는가? 그렇다면 정상적인 오프라인 채널에서 의견을 주는 사람들은 무엇인가? 이런 생각들이 이어졌고 그 생각의 끝에는 우리 노동조합에서 '자신의 의견을 제대로 피력할만한 창구가 있는가'라는 생각으로 연결되었다. 물론 앞에서 말한 홈페이지(다음 카페)가 있기는 했지만 여기에 자신의 이름으로 자신의 생각을 올리는 조합원은 없다. 공단 내부전산망인 나누리(ERP)에도 자유게시판이 있기는 하지만 여기는 상받은 사람들의 자랑하는 공간으로 전락해 버린지 오래이다. 이런 기본적인 창구조차 없는 상황이다 보니 더욱 블라인드가 재미있게 느껴지지 않았을까? 조합원들이 자신의 의견을 떳떳하게 말할 수 있는 제대로 된 창구가 하나쯤은 있어야겠다고 생각했고 첫 노동조합 신문 창간으로 그 생각은 구체화 되었다.

9기 집행부 1년차 시작과 더불어 노동조합 신문명 공모를 시작했고, 그 결과 '바람터'라는 멋진 이름이 선정되었다. 바람터의 의미는 다음과 같다.

"바람(風)은 조합원을 의미하며 우리 조합의 심볼(바람개비) 이미지와 연동"

* *조합원의 크고 작은 소리가 바람을 타고 돌고 돌아 이곳 터에 머물기도 하며 또한 새로운 시작점이 되어 멀리 전파가 되는 그곳(노동조합)을 의미*

* 한 편으로는 단어 자체의 의미 그대로 조합원의 바람(희망, 요구)을 표현

 노동조합 신문에 이렇게 멋진 이름을 붙여준 김도연 조합원에게 이 책의 지면을 빌어 다시 한 번 감사함을 전한다. 총 4면으로 구성된 바람터는 집행부의 목소리, 조합원들 이야기, 지부 이야기, 노동조합 퀴즈, 노동조합 Q&A, 칭찬합니다, 특별기고, 그리고 심지어 지역별 맛집 소개 등 조합원의 이름을 걸고 당당하게 나의 생각을 전국에 있는 1,700 조합원들에게 알릴 수 있는 공간이 되었다.

 요즘 시대에 누가 종이신문을 보느냐는 이야기를 하는 사람들도 하지만 여전히 길에는 신문이 팔리고 있듯이 종이가 주는 전달력은 엄청나다. 스마트폰이 있지만 여전히 종이는 우리 일상에서 사라지지 않고 있지 않는가? 그리고 노동조합은 블라인드는 제대로 보지 않지만 바람터에 올라온 이야기들은 꼼꼼히 챙겨본다. 때로는 바람터에 실릴 원고를 찾아 전국에 있는 지부간부 또는 조합원들에게 전화를 돌리기도 하지만 2021년 3월 첫 창간한 바람터는 현재 12호까지 그 명맥을 당당히 이어가고 있다.

전자문서 생산하는 노동조합

 우리 공단에 전자결재 시스템(ERP)이 처음 도입된 것은 아마도 2005·2006년 즈음이었던 것으로 기억된다. 그리고 지금은 전자결재

시스템을 활용하지 않는 곳은 찾아보기가 어려운 시대이다. 그러나 노동조합은 이제까지 그런 시대를 살고 있었다. 2022년 말에는 한국노총 울산지역본부에서 의장 선거가 있었는데 새롭게 선출된 사무처장은 본인의 임기를 시작하면서 처음으로 한 일이 울산노총의 회계 시스템을 전산으로 바꾼 것이라는 이야기를 했었다. 이렇게 회계를 아직도 수기로 작업으로 하는 곳이 있는 상황이니 문서 생산 역시 수기로 하는 것은 어쩌면 당연한 것인지도 모르겠다.

우리 노동조합도 23살이나 나이를 먹었지만 여전히 공문을 수기로 생산하고 있었다. PC로 문서를 작성하지만 출력해서 수기 결재를 받고 수작업으로 문서등록대장에 등록하는 방식이다. 과거 우리가 군생활 하던 시절인 2000년대 초반의 이야기인 것 같지만 지금 우리의 모습이었다. 물론 노동조합이 수작업으로 문서를 생산할 수밖에 없었던 이유가 있을 것이다. 여러 가지 민감한 내용들이 문서 속에 포함될 수도 있기 때문에 철저한 내부 보안을 유지하려는 목적도 있을 것이고 회사의 전자결재 시스템을 이용하다보면 이런 내부 보안 유지에 허점이 발생할 수 있을 것이라는 우려도 있었을 것이다. 회사의 ERP 시스템이 철저하게 노사 분리해서 운영될 것이라는 보장이 어디 있겠는가?

그럼에도 불구하고 전자문서 시스템은 지금 시대에 필요해 보였다. 무엇보다 노동조합 홈페이지에 접속해 보라고 아무리 홍보를 해도 쉽게 조회수를 늘리기는 어렵지만 조합원 대부분이 전자문서 시스템을 통해 공문서를 공람해 보는 것에 상당히 익숙해져 있기 때문에 전자문서 시스템을 통한 노동조합 문서는 순식간에 내용

공유가 가능한 이점이 있었다. 결론적으로 9기 집행부는 노동조합의 내부 보안 유지도 중요하지만 시행하는 문서의 경우에는 내부 전자문서 시스템을 통하는 것이 더욱 효과가 있을 것이라는 결론에 도달했다.

사측과 협의를 통해 전자문서 시스템에 노동조합 조직도를 새롭게 구성하고 문서 기안 및 수발신이 가능하도록 시스템을 정비했다. 그렇게 9기 집행부 임기에 처음으로 노동조합의 각종 시행문이 전자문서 형태로 전국 지부에 뿌려지게 되었다. 확실히 전자문서는 전파 속도도 빠르고 노동조합이 하고자 하는 행사에 대한 이해를 높이는데 도움이 되었다. 이 시스템에 한 가지 제한을 걸어둔 것은 일선 지부에서의 문서 기안기능이다. 그 이유는 다들 예상이 가능하겠지만 노동조합에서 생산하는 문서는 노사관계에 있어 여러 법적인 이해관계가 발생할 수 있기 때문에 때로는 신중을 기할 필요가 있다. 그렇기 때문에 지부에서 아무 생각 없이 문서를 생산했다가 혹시 모를 후폭풍에 휘말릴 우려를 사전에 차단하는 차원에서 본조에서 시행하는 문서만 기안이 가능토록 기능을 제한해 두었다.

카카오톡, 유튜브 하는 노동조합

정확히 언제부터인지는 모르겠지만 카카오톡은 대한민국 국민의 삶에서 떼어내고 싶어도 떼어 낼 수 없는 존재가 되어버렸다. 그리고 유튜브 역시 마찬가지이다. 구글 또는 크롬이 한 구석에 있었던 것으로 기억나는 유튜브의 지금 파급력은 엄청나다. TV는 보지 않아도 유튜브는 보고 있으니까 말이다.

몇 가지 소통채널에 대해 이야기 했지만 9기 집행부 출범 이후 가장 신속하고 파급력 있는 소통 채널은 역시 카카오톡이었다. 9기 집행부는 각 권역별로 담당 근로시간면제자를 설정해 두었다. 예를 들면, '경기권-사무처장, 광주권-복지후생실장, 부산권-조직실장'과 같은 식이다. 이렇게 권역별로 담당 근로시간면제자를 지정해 놓은 이유는 해당 권역의 사안은 즉각 담당하는 근로시간면제자가 챙겨볼 수 있도록 하기 위함이었다. 이 시스템이 신속하게 작동되기 위해 필요한 것이 권역별 단체 카카오톡 채팅방이었다(권역별 단톡방).

지금 시대에 새로운 것은 전혀 아니지만 우리 노동조합에서는 처음 시도한 소통방법이었다. 각 권역을 담당하는 근로시간면제자가 권역의 운영위원, 지부장들(임기 2년차부터는 사무국장들까지 참여했다)과 함께 단톡방을 운영했다. 이미 각 지부에서도 조합원들만의 단톡방이 운영되고 있었으니 이를 연결하는 거미줄 형태의 단톡방이 노동조합 조직 내에서 구성된 것으로도 볼 수 있었다. 과거에는 집행부에서 어떤 의사결정을 하거나 또는 사측과의 관계에서 어떤 사안(행사) 등이 있으면 일선 지부에서는 왜 이런 내용을 빨리 알려주지 않느냐는 문제제기를 많이 했었다. 권역별 단톡방 덕분에 이런 문제제기는 발생할 일이 없었다. 오히려 전달되는 정보의 양이 많기도 했지만 사안이 발생할 때마다 신속하게 정보가 전달되다 보니, 지부 간부가 관심을 가지고 부지런하게 내용을 챙겨

보지 않으면 집행부에서 공유한 내용이 제대로 전파되지 못하는 사례가 발생하기도 했다.

권역별 단톡방 이외에도 9기 노동조합은 유튜브 채널을 생성했다. 코로나 덕분에 의도치 않게 대의원대회와 같은 노동조합 행사를 온라인으로 개최해야 하는 상황도 유튜브를 운영할 수밖에 없도록 한 부분도 있다. 이유야 어쨌든 집행부 임기 2년 차에는 기왕 생성한 노동조합 유튜브 채널을 더 활발하게 운영해보자는 생각에 'e-뉴스'라는 코너를 운영했었다. 제목 그대로 최근 노동조합의 현안과 계획 등에 대해서 직접 근로시간면제자가 점심시간을 이용해 생(live)방송을 송출함으로써 전국의 조합원들과 온라인으로 대면해보자는 것이 기획의도였다.

첫 유튜브 방송은 어색함 속에서 진행되었지만 이후 약 2주 간격으로 진행했던 e-뉴스는 2022년 1년 동안 운영이 되었다. 한 때는 동시접속자 수가 100명대까지 올라가기도 했지만 결국은 낮은 시청률로 인해 2023년에는 운영을 접을 수밖에 없었다. 더 많은 조합원들을 e-뉴스로 끌어들이기 위해서는 전문 유튜버들처럼 말도 재미있게 잘 하는 것도 중요하고 한 편으로는 조합원들의 관심과 흥미를 끌만한(다른 말로는 자극적인) 내용들도 가미되면 좋았겠지만, 내부 소통차원에서 진행하는 e-뉴스에서 흥미를 유발하기 위해 자극적이거나 과대 포장한 이야기를 송출할 수는 없는 노릇이었다.

숨은 뒷이야기이지만 사실 e-뉴스를 송출하려면 누가 방송을 진행할 것인지 근로시간면제가 일정도 미리 전해 놓아야 했고 해당하는 사람은 점심식사도 먼저 해야 하고 점심시간을 통째로 유튜브 방송에 할애해야 했다. 스크립트를 준비해야 하는 것은 기본이다. 의외로 근로시간면제자의 손이 많이 가는 일임에도 불구하고 매번 10~20명의 조합원들만 접속해서 방송을 듣는 현실은 자연스럽게 투입되는 인력 대비 효과성에 대한 의문을 만들게 되었다. 사실 1,700명을 대표하는 근로시간면제자 6명이 해야 할 더 크고 중요한 사안들이 있는데 10~20명의 조합원을 위해 상당한 시간을 할애하기에는 비효율적인 측면이 더 컸었다. 그렇게 e-뉴스는 2022년 12월 마지막 방송을 끝으로 과감히 정리되었다.

지금 바람터처럼 계속 이어졌다면 또 다른 의미가 있지 않았을까 하는 생각도 들지만 새로운 시도 그 자체만으로도 충분히 의미는 있다고 본다. 이후에도 유튜브 채널은 위원장의 라이브 방송, 각종 노동조합의 영상물 게시 등과 같은 노동조합 활동의 양념 같은 역할을 하게 되었다. 가장 최근에는 뒤에서 이야기 할 2023년 대동제라는 큰 행사를 마치고 전국의 조합원들이 각자의 지역으로 복귀하는 길에 그 날의 생생한 하루를 신속하게 영상으로 제작하고 유튜브를 통해 조합원들에게 배포했는데, 조회 수가 900이 넘었으니 나름 유튜브 채널을 생성한 보람이 있었다.

2. 소통을 원하는 조합원, 소통하고 있다는 집행부

무엇을 해도 불만족스러운 조합원

이렇게 여러 가지 채널을 가동하고 있음에도 불구하고 여전히 소통은 어려운 것이다. 소통 채널을 가동하고 있다는 그 자체도 의미는 있지만 결국 조합원의 참여가 없으면 일방적인 소통 채널일 뿐이다. 일례로 기존 홈페이지가 운영하는 비용대비 홍보 효과성이 낮기 때문에 무료로 운영이 가능하고 익명게시판 기능도 살릴 수 있는 다음 카페로 조합홈페이지를 옮긴 사례를 살펴보자. 다음 카페가 이용하기에 편리하다는 점을 홍보해도 어떤 조합원들은 원래 자기는 다음 카페를 이용하지 않는다고 이야기하기도 하고, 또 다른 조합원들은 여전히 다음 카페보다는 기존 홈페이지를 모바일 형태로 운영하자는 이야기를 하기도 한다. 물론 왜 다음 카페가 더 좋은지에 대해서는 지부장회의 또는 지부 설명회(스킨십 미팅) 등의 자리에서 수차례 설명한 바가 있다.

어떤 조합원은 여전히 집행부가 무슨 일을 하고 있는지 모르겠다는 불만을 토로하기도 한다. 권역별 단톡방 운영을 통해 각종 집행부의 현안사항을 그 때 그 때 공유하고 있지만 지부 내에서 다시 한 번 제대로 공유가 안 되고 있거나 또는 내용은 공유가 되었지만 조합원 개인이 관심을 두지 않고 있는 사례도 허다하다. 어떤 현안은 과거부터 히스토리가 연결되고 있는 경우도 있기 때문에 단편적인 내용만 들어서는 왜 그런 것인지 아예 이해가 안 되는 경우도 있다.

어떤 조합원은 본인도 조합비 내고 있는 한 명임을 당당하게 밝히고 자신의 요구사항을 이야기하기도 한다. 조합비가 과연 이런 교환관계(조합비 냈으니 나의 요구사항 하나 정도는 들어줘야 한다는 give and take 관계인가?)에 있는 것인지에 대해서는 좀 더 상세히 다루어 볼 필요가 있다. 또 어떤 조합원은 이미 의사결정한 사안을 번복하기를 원하기도 한다. 그 이유에는 대승적인 어떤 것이 있을 때도 있지만 대부분은 개인적인 요구사항과 일치하기 않기 때문인 경우가 많다.

집행부 입장에서는 이런 불만들을 모두 해결해 주고 싶고 또 때로는 조합원을 설득할 수 있는 100% 확실한 논리를 설명하고 싶지만 이것은 현실적으로 불가능한 이야기이다. 그리고 눈앞에 있는 개인의 요구사항이 당사인 조합원에게는 중요한 사안이겠지만 1,700명을 위한 결정을 해야 하는 집행부에서 왜 그렇게 결정할 수밖에 없는지에 대한 앞뒤 상황을 이해하려는 조합원 개인의 노력도 분명히 필요하다. 그래서 소통은 한 방향으로 이루어지는 것이 아니라 양방향으로 이루어져야 하는 것이다.

노동조합은 상급단체인 한국노총 법률원을 통해 다양한 자문을 받고 있는데 한 노무사는 '우리 노동조합에서 교육을 얼마나 자주 하고 있는지'에 대한 질문을 한 적이 있다. 순간 뒤통수를 한 대 얻어맞은 기분이 들었다. 교육이라는 단어는 우리 노동조합 활동에서 완전히 잊고 있었던 단어이기 때문이었다. 부끄러운 이야기지만 우리 노동조합은 이제까지 어떤 정식적인 교육과정을 운영한 적이 없다. 그 나마 지부장회의 등의 자리에서 외부 전문가 특강 정도는 몇 번 했던 경험이 있지만 그 이외에는 전국 지부를 순회하는 설명회(스킨십 미팅) 때 지부의 조합원들을 모아 놓고 최근 현안사항을 설명하면서 약간의 교육 성격의 내용을 곁들이는 정도가 다였다.

노무사는 노동조합은 시간이 남으면 무조건 교육을 해야 한다고 이야기 했다. 노동조합에서 교육을 하지 않는다면 일반적인 조합원들은 노동조합에 대한 제대로 된 인식을 가질 수 있는 기회가 없다는 것이었다. 맞는 이야기였다. 근로시간면제자를 하고 있는 우리 조차도 입사 후 이제까지 노동조합 관련 정식 교육을 받아본 적이 없었고 지금 우리가 알고 있는 것은 투쟁의 현장에서 또는 술자리에서 선배들로부터 전해들은 이야기들이 나름의 교육 기능을 대체하는 것이었다.

조합원들이 왜 모르고 있고 왜 불만을 이야기 할까? 불만을 이야기하려면 기본적인 것은 알고 있는 상태에서 문제제기를 해야 하는데 지금의 불만과 문제제기들은 그렇지 않은 것들도 상당하다. '나 지금 이게 불편하니 이것 해결해줘' 하는 식으로 마치 내가 낸 조합비로 노동조합을 운영하는 것이니 근로시간면제자는 내가 요구하는 일을 척척 해결해주는 것이 당연하다는 식이다. 아파트 관리비 내고 있으니 아파트 관리사무소 직원이 불편한 점들을 해결해 줘야 한다는 것과 비슷한 모양새이다 정말 교육이 필요했다. 우리 노동조합이 어떻게 태동하게 되었는지부터 근로시간면제자들은 무슨 일을 평소에 하고 있으며, 이렇게 현업업무에서 열외하고 노동조합 일만 할 수 있는 근거는 무엇인지, 그리고 각종 현안들은 무엇을 근거로 사측과 협의가 되고 있고, 최근 공지된 내용들이 왜 그렇게 결정이 되었는지 등 기본적인 것부터 실무적인 것까지를 아우르는 체계적인 교육이 필요했다. 일단 기본은 알고 있는 상태에서 질문이 시작되어야 하는데 기본적인 것에 대한 집행부와 조합원 간에 이해도가 다르니 집행부는 왜 저런 질문 또는 왜 저런 불만을 이야기 하는지에 대한 의문이 항상 있고 조합원들은 이해가 안 되는 일들이니 계속 불만을 제기할 수밖에 없다.

이렇게 교육을 해야겠다는 내용은 이미 9기 집행부 임기를 반년도 남겨놓지 않은 시점에서 인지를 한 관계로 임기 동안에 어떤 계획을 수립해서 진행하기에는 쉽지 않은 부분이 있었다. 그러나 이 부분은 새로운 집행부가 아주 관심 있게 다루어야 할 부분이다. 단체협약에 명시되어 있는 조합원 교육시간을 제대로 활용하지 않은 것부터 문제의식을 가지고 접근해야 하며 제대로 된 교육을 하기 위한 노동조합만의 교안 마련, 교육일정, 강사 트레이닝까지 상당한 시간을 할애할 필요가 있다. 그 만큼 교육은 노동조합 활동에 새로운 가치를 불어넣어줄 수 있는 것이기 때문이다. 지속가능한 노동조합을 위해서, 노동조합의 조직력을 강화하기 위해서, 노동조합의 후배 간부들을 양성하기 위해서, 그리고 조합원의 불만사항을 해소하는 차원에서도 노동조합의 교육은 꼭 필요하다.

가장 무서운 적은 무관심

선거를 할 때마다 정치인들이 가장 경계하는 것은 누가 이기고 지는 것이 아니라 바로 국민의 무관심일 것이다. 온라인 뉴스든 블로그나 카페의 게시글이든 가장 불쌍한 글은 바로 무플(댓글이 없는 것)이라는 이야기를 누군가는 했다. 차라리 비난과 비판을 하는 조합원들은 괜찮다. 그래도 관심이 있기 때문에 어떤 이야기이든 집행부에 자신의 생각을 전달하는 것이다. 집행부에서 전국 스킨십 미팅을 가면 그 자리에 아예 참석하지 않는 조합원, 노동조합에서 어떤 행사나 이벤트를 하더라도 아무런 반응을 보이지 않는 조합원, 지금 지부의 간부가 누구인지 심지어 현재 노동조합의 위원장이 누구인지도 모르는 조합원이 우리 조직에도 분명히 있다.

이 조합원들은 왜 무관심하게 되었을까? 9기 집행부 임기동안 여러 명의 지부장들과 함께 했는데 그 중 나이가 지긋하신 한 지부장님이 '나는 한 동안 노동조합에 관심을 끊고 살았다'는 이야기를 한 적이 있다. 그러던 어느 날 우연히 지부에서 지부장을 역임할 적당한 인물이 없어 본인이 지부장을 하게 되었는데 오래간만에 지부장으로서 노동조합 활동을 직접 해보니 예전 본인이 생각했던 노동조합과는 상당히 많이 달라졌다는 것을 느꼈다는 것이다. 그래서 지금은 많이 늦었지만 노동조합에 대한 생각을 다시 하게 되었다는 이야기를 한 적이 있다. 이처럼 관심을 끊는 조합원 대부분은 자신의 생각과는 다른 방향으로 노동조합이 움지이는 것에 대한 실망감이 그 원인이 될 수도 있다.

다른 한 편에서 노동조합의 입장에서는 모든 조합원을 100% 만족할 수 있는 의사결정이란 애초에 불가능하다는 이야기를 할 수도 있다. 그리고 이것은 사실이기도 하다. 또 다른 조합원들은 원래 회사 업무 이외에는 관심이 없을 수도 있다. 주변의 살아오는 과정을 보면 어떤 사람은 대학교에서 공부도 하고 동아리나 학생회 활동도 하고 교우관계도 하지만, 어떤 사람은 아무 활동도 하지 않고 대학교만 다니는 사람도 있듯이 말이다. 공단에 입사를 하고 보니 단 한 명도 노동조합에 가입하지 않는 사람이 없으니 그냥 따라서 가입만 해 놓은 채로 생활하는 조합원들이 그런 사례에 해당될 것 같다. 자연스럽게 은둔형 조합원으로 회사업무만 하는 사람이 되어 있을 수도 있다.

그러나 앞의 지부장 사례처럼 노동조합 활동에 직접 참여해 보면 이야기는 달라질 수 있다. 무엇이든 그렇지만 내가 직접해보면 옆에서 보는 것과는 전혀 다르기 때문이다. 그리고 집행부는 그것이 의사결정 과정이든 의견을 모으는 과정이든, 또는 어떤 노동조합의 행사든 그 과정에 조합원들이 참여할 수 있도록 최소한 참여의 장을 열어야 하는 책임이 있다. 이런 참여의 과정이 제대로 운영되지 않았을 때 조합원의 관심이 끊어질 가능성이 높다.

그리고 조합원들도 인정할 것이 있다. 이 큰 조직에서 100% 만장일치는 불가능한 이야기이다. 저 윗동네인 북한과 같은 공산국가라면 가능할지도 모르겠지만 민주주의의 기본은 토론과 투표이다. 과정에는 자주적으로 열심히 참여하여 본인의 의견을 개진해야 하고 이후 다수결의 원칙인 투표를 통해 우리 조직의 방향을 결정해야 한다. 그리고 결정된 방향에 대해서는 민주적인 조직의 구성원답게 인정하고 따라야 한다. 이 과정에 참여하지도 않고 민주적인 표결 결과가 나의 생각과 다르다고 해서 관심을 끊어버리는 것은 문제가 있다는 말이다. 치열한 토론과 논쟁은 있을 수 있지만 도출된 결과에 대해서는 노동조합 구성원의 일원으로써 다시금 집행부가 힘차게 추진해 나갈 수 있도록 지지해 줄 필요가 있다.

참여 vs 권리, 저도 조합비 냈어요!

조합원의 참여가 우선일까, 조합원으로서 나의 권리를 주장하는 것이 우선일까? 마치 닭이 먼저인지 알이 먼저인지를 이야기하는 것과 비슷할 것이다. 집행부는 조합원의 참여를 원하고 조합원의 참여가 있어야 집행부는 힘을 얻는다. 참여를 이끌어내기 위해서는 조합원들이 참여할 필요성을 느낄 수 있는 어떤 동기가 필요한데 가장 쉬운 것은 조합원들이 노동조합을 통해서 자신들의 권리가 보장받는다는 것을 느낄 수 있도록 하는 것이다.

자신의 권리를 주장하는 조합원이 가장 흔하게 꺼내는 이야기 중 하나가 조합비이다. 조합비 냈기 때문에 내가 필요한 것(요구하는 것) 정도는 노동조합에서 해결해야 되는 것이 아닌가라는 이야기이다. 그런데 과연 이 말이 맞는 것인지, 즉 타당한 교환관계가 성립되는 것인지에 대해서는 진지하게 생각해 볼 필요가 있다.

우리 집행부는 조합원들을 대상으로 2022년도에 노동조합의 참여, 몰입, 그리고 세대갈등을 주제로 설문조사를 한 적이 있다. 보통 노동조합에서 설문조사를 한다고 하면 현안을 결정하기 위한 보조성격의 설문조사를 많이 할 것 같지만 이 설문조사는 그런 성격의 조사는 아니었다. 나름 선행연구에 대한 조사를 하고 실제 연구에서 활용된 설문도구를 활용해서 신뢰성 있는 통계분석까지 진행한 조사였다. 이 과정에서 읽었던 한 논문[2]은 '노조도구성'에 대해 재미있는 내용을 기술하고 있었다. 논문에서 언급하고 있는 복잡하고 어려운 내용을 이해한 대로 쉽게 정리해 보자면 다음과 같다.

노조도구성이란 말 그대로 노동조합이 조합원들에게 얼마나 쓸모가 있는지, 즉 이용가치가 있는지에 대한 개념인데, 노조도구성을 경제적 가치로 이해하고 과연 경제적 교환관계가 성립할 수 있는가 하는 부분이 말하고 싶은 핵심이다. 즉, '내가 조합비 냈으니 거기에 상응하는 어떤 대가를 돌려받아야 한다'는 '경제적 교환관계'가 타당한가 하는 부분이다. 안타깝게도 조합원들이 생각하는 것과는 다르게 이 논문의 선행연구들은 조합비는 이런 경제적 교환관계의 성립이 어렵다는 이야기를 하고 있다.

노동조합의 기능에는 임금인상, 고용안정과 같은 것들이 있을 수 있는데 이는 조합원들이 낸 돈, 즉 조합비로 거래될 수 있는 성질의 것이 아니라는 이야기이다. 그 이유로는 노동조합의 구성원들은

---

2) 김형탁, 이영면 (2019). 노조몰입과 노조참여의 선행요인 분석 및 노조몰입의 매개효과 검증: 사무금융직 노동조합의 사례. 산업관계연구, 29(2), pp.39-68.

단 몇 번의 거래로 청산될 수 있는 관계가 아니라 오랜 기간 지속하며 단순한 경제적 가치 이외에도 정서적인 가치를 교환하는 관계를 이루고 있기 때문이라고 언급하고 있다. 또한 조합비와 조합원들이 요구하는 어떤 것(여기서는 노조도구성)은 당장 거래가 가능하지도 않으며 1:1로 교환이 가능한 동일한 가치로 평가될 수 있는 기준도 없다. 일례로 조합원으로서 조합비 냈다고 지금 나를 연고지역으로 전보시켜달라고 요구한다면 과연 이 둘의 가치가 1:1로 교환가능하다는 것을 어떻게 판단할 수 있겠는가?

또한 노동조합이 조합원을 대표해서 임금협상을 하는 것을 예로 들고 있는데 이것은 노동조합의 기본적인 존재 목적 중의 하나이면서 동시에 조합원들과의 약속이기도 하다. 그런데 이 약속은 실현될 수도 있고 또는 심지어 실패할 수도 있다. 이 약속의 실현 가능성이 확정된 것이 아님에도 불구하고 조합원들이 조합비를 내고 노동조합에 가입한 것은 일종의 노동조합 기능에 대한 '신뢰'에 기초하고 있다고 할 수 있다. 그래서 노동조합의 도구성은 경제적 교환관계가 아니라 '사회적 교환관계'로 보는 것이다.

임금인상, 고용안정, 그리고 괴롭힘, 갑질, 심지어 성희롱 같은 부당한 대우로부터 조합원을 보호하는 것은 노동조합의 대표적인 기능이다. 하지만 조합원들은 조합비를 냈기 때문에 이런 혜택을 받는 것은 당연한 것으로 인식하고 정작 노동조합 활동에는 참여하지 않는 경향을 보인다는 것을 이 논문은 지적하고 있다. 우리 노동조합의 단면을 그대로 이야기 하고 있는 것 같기도 하다. 노동조합의 기능을 제대로 수행하기 위해서는 조합의 협상력을 높여야 하고 협상력을 높이기 위해서는 노동조합이 힘을 가지고 있음을 보여줘야 하는데, 정작 조합원들이 노동조합 활동에 관심을 가지고 있지 않다는 것은 결국 노동조합의 협력상이 떨어지고 그로 인해 조합원에게 돌아갈 수 있는 이익도 줄어드는 결과로 이어질 수밖에 없다. 다행히 우리 노동조합은 최근 개최한 대동제에서도 볼 수 있듯이 심각할 정도로 조합원의 참여도가 떨어지는 것은 아니라고 본다(뒤쪽에서 대동제에 대한 자세한 이야기를 할 예정이다).

논문에서 이야기 하듯이 조합원들은 자신들이 낸 조합비 이상의 가치를 원하는 것은 우리 노동조합에서도 자명한 사실 같다. 그러나 이런 가치에는 꼭 실질적인 어떤 것만 포함되는 것은 아니다. 즉, 이 조직에 소속됨으로써 생겨나는 자부심도 큰 가치가 있으며 이런 자부심은 조합비 이외에도 기꺼이 노동조합에 봉사하려는 열망을 불러일으킨다. 또한 조합원들에게 가치와 보람을 느끼게 해주는 노동조합이라면 이는 사측과의 관계에서 우위를 점할 수 있도록 조합원들로부터 권력을 얻게 되기도 한다. 이는 동시에 조합원들에게는 조합을 위해 봉사하도록 하는 의무와 책임감을 부여하는 권위이기도 하다고 논문은 설명하고 있다.

2023년도에 개최된 몇 번의 지부장회의에서는 이 '봉사'라는 단어가 언급되었다. 번외 이야기이지만 최근에 우리 노동조합은 순수한 봉사 차원에서 조합 간부를 역임하고 있는 분위기가 팽배한데 이것이 일종의 조직관리 차원에서 문제가 된다고 보고 있다. 봉사에는 적당한 보상이 함께 따라줘야 봉사를 하려는 사람들에게 참여의 동기가 될 수 있을 것이라는 고민을 하게 되었다. 다시 이야기로 돌아오면, 결국 지금은 봉사 수준이지만 조합의 간부를 맡고 있는 사람들은 분명 노동조합에 대한 자부심, 그리고 나름의 가치와 보람을 느끼고 있는 사람들이라고 할 수 있다. 설사 첫 시작이 꼭 자부심 때문은 아니었다 하더라고 결국 노동조합 활동을 하다 보면 이런 자부심, 가치와 보람을 느끼고 있다고 대답하는 조합원들이 많다. 봉사와 그에 따르는 수고스러움이 있지만 주변에 함께하는 조합원들의 따뜻한 격려가 있는, 그래도 아직은 참여해야 한다는 생각을 가지고 있는 것이 우리 노동조합이 아닌가 한다.

앞에서 언급한 2022년의 설문조사 결과를 보면, 분명히 노동조합 간부 경험이 있으면 노동조합 활동 참여도는 높아졌다. 그리고 공단에서 근무한 기간이 길어질수록 노동조합에 대한 충성도와 의지와 같은 몰입 수준 역시 높아졌으며 직급이 높아질수록 노조의 도구성에 대한 인식도 함께 높아졌다. 즉, 노동조합이 필요하다고 인식하는 것이다. 아무도 겉으로 드러내지 않는 것 같지만 의외로 노동조합의 선출직과 같은 간부의 역할을 한 번 맡아보겠다는 응답도 제법 있었다(약 28%). 참여와 권리, 무엇이 먼지인지가 중요한 것이 아니라 위에서 언급한 기본적인 상호관계에 대해 생각해볼 필요가 있을 것 같다. 그리고 아직 우리 노동조합은 참여와 권리에 있어 희망을 가지고 있다고 본다!

3. MZ세대 조합원 이야기

세대갈등, 남의 이야기가 아니다

처음에 세대갈등은 남의 이야기라 생각했는데 알고 보니 우리 이야기였다. 이것이 지금 노동조합이 느끼고 있는 상황이다. 최근 공단에는 정말 많은 신규직원들이 입사했다. 예전 우리가 입사했을 때에는 10~20명 단위의 소규모 입사가 보통이었으니 그 때는 언론에서 흔히 하던 말처럼 소위 '신의 직장'이던 시절이 맞는 것 같기도 하다. 당시 공공기관 입사하기란 바늘구멍 통과 하는 수준이었으니까 말이다. 항상 그렇듯이 시간은 삶에 변화를 가져오며 이것은 조직에도 그대로 적용된다. 몇 번의 대통령 선거를 치르고 정권이 바뀌면서 공공기관에도 많은 변화가 있었는데 그 중 하나는 문재인 정부 당시 공공기관 채용 규모의 확대였다. 100명 단위의 신규직원들이 공단에 입사하기를 몇 년, 어느 덧 우리 조직에는 입사 5년 미만의 직원들이 전체 구성원의 약 40% 정도를 차지하는 상황에 이르게 되었다. 물론 우리 공단만이 겪는 상황은 아니다. 울산혁신도시에 있는 다른 공공기관도 그렇듯이 이 시기의 공공기관은 대부분 규모면에서 확장이 되었다. 아마도 공공성을 강조하는 정부의 특성이 반영된 결과일 것이다.

이렇게 젊은 직원들이 갑작스레 증가되면서 사회적으로 화두가 된 용어가 있었는데 바로 'MZ세대[3]'라는 용어였다. 검색을 통해 이 용어가 등장한 시기를 확인해보니 2018년 11월 즈음이라고 하니 한창 우리 공단에 신규직원들이 대거 입사하던 시기와 맞물린다. 이 용어가 정확히 어떤 세대를 의미하는지는 사회적으로도 이해관계에 따른 해석이 분분하듯이(나무위키에 따르면 처음 이 용어를 만들어낸 주체인 대학내일이라는 잡지사는 용어의 혼란스러움 때문에 결국 2022년 10월 z세대 트렌드 2023 출간을 통해 스스로 이 용어를 폐기했다고 한다) 우리 공단에서도 그 해석이 분분했다.

우스갯소리로 어떤 근로시간면제자는 '나도 80년생이기 때문에 MZ세대의 일원이라고' 하기도 했고 이런 이야기를 들은 실제 90년대 이후 태어난 조합원은 '어디 감히'라는 듯이 콧방귀와 웃음으로 응수하기도 했다. 그러나 일반적인 우리 조직 관점에서 본다면 우리 공단의 MZ세대란 최근 5년 이내 입사한 직원을 이야기하는 것이 편할 것 같다(물론 노동조합의 조작적 정의이다). 단순히 젊거나 나이 듦의 차이에서 세대갈등이 오는 것은 아니다. 이렇게 대규모의 직원이 짧은 기간내 입사를 하게 되는 것이 흔한 경우는 아니기 때문에 조직운영 차원에도 여러 가지 혼선이 발생할 수 있고 이런 혼선은 보통 갈등을 만들어 내는 경우가 많다. 그리고 이것이 흔히들 이야기하기 쉬운 세대갈등이라는 이름으로 불릴 수 있다.

노동조합에서 이렇게 생각을 해 보는 데에는 우리 조직이 몇 가

---

3) 1981~1996년생인 밀레니얼세대(M세대)와 1997년~2012년생인 Z세대를 세대롤 묶어 부르는 신조어(출처; 나무위키, 검색키워드; MZ세대)

지 문제점을 노출하고 있었기 때문이다. 첫째로, 이제까지 우리 공단의 조직문화 중에 나름의 장점을 꼽자면 끈끈한 선후배 관계를 들 수 있다. 이는 앞에서 언급한 노동조합 역대 선거과정에서도 드러나는 부분이지만 이렇게 선후배 관계를 잘 유지할 수밖에 없는 업무적인 특성도 분명히 있다. 우리가 입사를 했을 당시 사업장에 출장을 다니면 직원들 간에 '산업재해 예방 업무는 기본적으로 나이가 많을수록 수월할 수밖에 없다'라는 이야기를 공공연하게 하고는 했었다. 이 말은 그냥 하는 말이 아니다. 실제 사업장 출장을 다녀보면 규모가 있는 사업장에서 공단 직원을 응대하는 안전보건관리자들은 나이가 어느 정도 있는 관리자 급인 경우가 대부분이며 소규모 사업장조차 젊은 사람이 대표를 맡고 있는 경우는 찾아보기가 어렵다.

즉, 대부분의 사업장 안전보건관리자 또는 대표들은 젊은 신규직원들 기준에서는 그들의 아버지 나이 또래인 경우가 많다는 의미이다. 이런 분위기 속에서 사업장을 방문해서 산업재해 예방과 관련한 법적인, 기술적인 조언을 하고 다양한 정책적 사항을 안내해야 하는데, (속칭)새파랗게 젊은 사람이 와서 하는 이야기가 잘 통하겠는가? 그렇다면 '과거 공단의 신규직원들은 항상 선배들과 함께 출장을 다녔느냐'고 물어볼 수도 있는데 꼭 그렇지도 않았다. 그 때도 출장은 혼자서 많이 다녔는데 한 가지 중요한 부분은 혼자서 모든 것을 해결하지는 않았다는 점이다. 아니, 해결할 수가 없었다.

단순히 제조업만 해도 세부업종이 얼마나 다양한가. 그 많은 업종에서 사용하는 모든 기계·기구를 스스로 아는 것은 불가능한 일이며 이것을 책을 통해서 배운다는 것은 더욱 불가능한 일이다. 결국, 경험을 가지고 있는 선배에 대한 의존도가 자연스럽게 높아질 수밖에 없었다. 그래서 그 때는 항상 모르는 것이 있으면 선배들에게 물어봐야 했고 선배들 역시 이런 후배들의 질문을 쉬이 넘기는 법이 없었다. 그런 영향 때문인지는 모르겠지만 그 때 당시에 선배들이 제안하는 회식자리를 마다하는 것은 후배입장에서 쉽지 않은 일이었는지도 모르겠다.

지금은 어떠한가? 과거와 같은 그런 선후배 관계는 분명히 아니다. 물론 우리 조직은 그대로 있었는데 선후배 관계가 무너진 것은 절대 아니다. 조직에 수많은 신규직원이 유입되고 산업재해예방의 중요성에 대한 사회적 요구가 커져가는 중대한 시기에 우리 공단 조직을 무너트린 조직개편 여파가 이런 부분에서 영향을 미치고 있다고 생각한다. 조직개편 여파와 더불어 신규직원들의 산재예방 사업에 대한 궁금증과 공부할 의욕을 불러일으켜야 할 전문적인 사업이 무너져 내린 영향도 있다.

산업재해가 그렇게 단순한 것이라면 왜 진작 산업재해를 줄이지 못했겠는가? 산업재해는 그렇게 단순한 것이 아니라는 것을 분명히 알고 있음에도 불구하고 지난 몇 년간 산재예방이라는 미명하에 상당수의 공단 사업이 단순화 되었고, 누가 해도 할 수 있는 단순한 사업에 전 구성원이 매몰되는 모순적인 일이 상당기간 조직 내에서 벌어졌다. 물론 이렇게 이 일을 몰아붙인 사람의 논리는 정말 간단했다. 산업재해가 건설 분야의 추락에서 많이 나니 다른 것 다 제쳐두고 추락재해만 줄이면 산업재해는 눈에 띄는 감소 효과가 나타난다는 것이었다. 산업재해는 그렇게 간단하지 않으며 사회적 맥락을 고려해야 하는 것임을 무시한 거짓선동이었다.

거기다 갓 입사 후 한창 에너지가 넘치는 신규직원들을 대상으로 6개월간 집합교육을 통해 최고의 산재예방 전문가로 만들어내겠다는 희대의 새로운 신규직원 교육방법을 제시했고, 회사의 간부라는 사람들은 그 말을 그대로 실행했다. 월요일부터 금요일까지 매일 8시간씩 강의실에서 앉아서 교육을 받았는데 6개월 동안 매일 그렇게 한다고 생각해보라. 당신은 할 수 있겠는가? 정상적인 사람도 정신병이 생길 것 같은 교육방법이다. 그렇게 이 신기한 신규직원 교육은 결국 그 해로 끝났다. 노동조합에서 강력히 반발을 했고 교육의 효과성도 전혀 확인할 수 없었기 때문이다. 심지어 6개월이라는 기간 동안 교육생들 사이에서 이런저런 사건사고가 발생하는 것은 말할 것도 없었다.

이런 조직적인 사업방향의 상실과 대규모 신규직원을 대상으로 한 즉흥적인 교육운영과 같은 실수는 분명히 공단의 시스템적인 문제였다. 사업장의 산업재해예방체계가 사람에 따라 좌지우지 되지 않도록 시스템적인 운영체계를 만들어야 한다고 사업장에 가서 기술지원 하는 것과는 정반대의 일이 공단 내에서는 일어나고 있었던 것이다. 이런 와중에 일선 지부의 각 세부 조직에서 업무수행 방식에 대한 크고 작은 다양한 이견들이 발생했음은 거부할 수 없는 사실이다. 즉, 과거 방식을 고수하는 선배들과 왜 그렇게 해야 하느냐를 이야기하는 젊은 후배들의 의견 차이였다. 문제는 과거에는 젊은 후배의 숫자가 작았기 때문에 큰 문제가 아니었는데 이제는 이야기가 달랐다. 이 사람들의 숫자가 만만치 않다는 것은 새로운 갈등을 만들어낼 여지가 충분했다.

신규직원들 간의 소통은 신속하고 빠른 방면, 기존 세대의 소통 방식은 여전히 회식자리에서 또는 삼삼오오 모여서 이야기 하는 수준에 머물러 있었다. 모바일 SNS를 통해 전국 단위의 거미줄 채팅방 조직을 형성하고 있는 MZ세대들은 어떤 사안이 발생하면 전국적으로 내용을 공유했고 '다른 지사에서는 그렇게 하지 않는데 왜 여기는 이렇게 해야 하나요?' 라는 질문으로 선배들을 당혹케 했다. 선배들의 입장에서는 신규직원들이 말하는 다른 지사에서 그렇게 하는 데에는 분명히 어떤 이유가 있을 것으로 추정은 하지만, 도대체 거기가 어디인지, 그리고 누가 어떻게 그 업무를 처리했는지에 대한 명확한 확인을 하지 못 하면 그 자리에서 쉽게 대답을 할 수 없는 문제점이 있었다. 즉각적인 대답이 돌아오지 못하면 당장은 MZ세대의 승리였다. 이런 것은 하나의 일례일 뿐이다.

이런 세대갈등이 벌어지는 시기에 노사의 역할이 중요함에는 의심할 여지가 없다. 그러나 이 때 우리 공단 안에서는 역대 경험해 보지 못한 최악의 노사갈등이 벌어지고 있었다. 정상적인 노사관계에서 이렇게 많은 젊은 직원들이 공단 구성원으로 들어오게 되었다면 아마도 노사는 새로운 소통방법에 대한 고민과 더불어 공단의 전통적인 선후배 관계에 대한 교육 등에 많은 관심을 기울였을 것이다. 그러나 이 시기 노사는 그렇게 하지 못 했다. 신규직원 교육방법 조차 첨예한 의견 대립이 있었듯이 노사의 수장 간의 대립은 자연스레 소통의 부재로 이어졌다. 수장 간의 소통부재는 결국 조직 곳곳에 영향을 미치게 마련이다. 노동조합에는 투쟁을 할 수밖에 없는 명분이 분명했지만 지금 와서 보자면 그 당시의 노사갈등은 세대갈등에도 영향을 미쳤다고 할 수 있다.

그러나 앞에서도 이야기 했지만 시간은 변화를 가져온다. 첨예한 노사 간의 대립 시기는 결국 지나가고 우리가 MZ세대라고 부르던 그 젊은 신규직원들 역시 그들의 후배를 맞이하게 되면서 어느새 조금씩 선배들의 입장과 마음을 이해하게 되는 위치에 있게 된다. 우리도 그렇게 이런 시절을 거쳐 왔고 MZ세대라고 불리는 젊은 직원들도 결국은 거쳐 가는 과정이다. 하지만 이 과정을 조금은 수월히 넘어가기 위해서 우리 공단의 상황과 옆에서 함께 일하고 있는 사람에 대한 이해가 필요하다. 그 사람 역시 다른 MZ세대의 아버지 또는 어머니일 것이며, 나에게 결재를 올리는 사람 역시 어떤 아버지와 어머니의 MZ세대 자식이기 때문이다.

익명게시판을 좋아하는 세대

'이 세상에 익명게시판이 없었던 적은 없다'라는 것이 반평생 살아온 우리가 느끼는 것이다. 우리는 2000년대 초반에 군대를 갔다 왔는데 한창 인터넷이 보급되던 당시 군대에서는 '소원수리'가 있었다. 흰 종이에 본인의 이름은 적지 않은 채로 군대내 부조리를 써서 제출하면 지휘관이 내용 파악을 하고 문제아를 처단(?)하거나 또는 제기된 문제점들을 한 방에 해결해 내는 식이었다. 지금의 군대도 소원수리는 있을 것 같다. 이후 인터넷이 일반화되면서 각종 포털 사이트의 카페, 블로그, 밴드 등에서는 익명게시판을 쉽게 찾아볼 수 있다. 그리고 보통 이런 익명게시판은 아사리판인 경우가 많았다.

우리 노동조합도 과거부터 운영하던 홈페이지에 익명게시판이 있었다. 그래도 노동조합에서 운영하는 익명게시판이다 보니 요즘처럼 누가 모여 있는지도 모르는 익명게시판 정도의 아사리판은 아니었다. 나를 드러내 놓고 직접 말하기가 불편한 조합원들이 다양한 의견을 이야기하는 나름의 열린 소통 창구였다 정도로 이야기하는 것이 정확할 것 같다. 노동조합은 매번 지부를 방문해서 조합원들을 만날 때마다 노동조합 홈페이지는 외부업체를 통해 운영하기 때문에 익명게시판은 실명확인이 불가하다는 것을 이야기했지만 항상 조합원들은 의심의 눈초리를 보내왔다.

노동조합도 이런 실정이니 우리 공단 자체적으로 운영하는 나누리 시스템의 자유게시판에서 자유롭게 글을 쓰는 사람은 단 한 명도 없다. 2000년대 중반 처음으로 나누리 시스템이 공단에 도입되었을 당시의 자유게시판을 살펴보면 개인적인 의견, 좋은 글 등 다양한 사람들의 의견이 게시된 것을 지금도 확인할 수 있는데 지금과는 사뭇 대조적인 모습이다(나누리 자유게시판은 그 때의 글을 그대로 보존하고 있으니 진짜 여부가 궁금한 사람들은 한 번 확인해보시기 바란다).

최근 MZ세대들의 익명에 대한 의심과 요구는 극대화되었고 마침 민간업체는 기다렸다는 듯이 완전한 익명을 보장한다는 어플리케이션(블라인드 App)을 만들었고 한 동안 블라인드가 우리 공단 내에서도 화두였던 적이 있다. 여기서 중요한 단어를 알아챘는가? 현재 그렇다는 것이 아니라 과거에 그랬던 적이 있었다는 것이 포인트이다. 2~3년 전만해도 블라인드에 글이 올라오면 실제로 노사가 민감하게 반응을 하고 노사 간의 협의 또는 협상 테이블에서 블라인드에 이런 주제에 대해 글이 게시되었다는 것을 두고 어떻게 해결할지를 논의했던 적이 있었다. 그러나 이런 논의는 길게 지속되지 않았다. 그리고 어느 순간 노사의 입에서 블라인드에 대한 이야기는 점점 사라지게 되었다. 우리가 보기에는 노사를 대표하는 사람들의 입에서만 사라진 것이 아니라 조합원들 또는 사측의 사람들의 입에서도 이 이야기들은 점점 사라졌다.

왜 그렇게 되었을까? 원래 익명게시판이란 것이 그런 것이기 때문이다. 너무 황당한 답변인가? 이 세상에 익명게시판이 그렇게 유익하고 올바른 것이었다면 모두 다 익명게시판을 이용하지 누가 실명을 이용하겠는가? 익명게시판은 익명 뒤에 나를 숨긴 채 남에게 드러내 놓고 이야기 할 수 없는 온갖 가십거리를 이야기 할 수 있다는 점에서 뒤에서 혼자 '낄낄' 거리는 쏠쏠한 재미를 느낄 수 있다. 심지어 내가 싫은 어떤 사람을 (소위 말해서)깔 때는 통쾌하기도 할 것이다. 그러나 거기까지이다.

쾌감은 더 큰 쾌감이 주어졌을 때에만 쾌감으로 느껴진다. 처음에는 쉽게 남에게 이야기 할 수 없는 주제를 꺼냈다는 그 자체만으로도 쾌감이 있겠지만 이 쾌감은 점차 시들해진다. 댓글에 더 강한 어떤 내용이 달렸을 때 쾌감은 점차 극을 향해 달려간다. 다음에는 더 민감한 주제, 그리고 더 강렬한 주제로 게시글이 올라온다. 때로는 특정인을 지칭하기도 하는데 그래야 더 짜릿하기 때문일 것이다. 결국 이런 글들과 그 글에 달리는 댓글은 사실을 적시한 것도 아니며 오로지 글을 올린 사람과 댓글을 다는 사람의 더 큰 쾌감을 위한 내용들인 경우가 대부분이다. 이렇게 시간이 갈수록 익명게시판은 아사리판이 되어 가는 것이다. 어떤 글과 댓글은 과연 이 사람이 우리 직원이 맞는 것인가 하는 의심의 눈초리가 가는 것들도 있다. 감히 입에 담기 힘든 욕을 하는 경우도 있으니 이런 생각이 안 든다면 오히려 비정상이지 않은가?

여전히 지부를 방문해서 조합원을 만나면 블라인드에 올라온 글에 대해 이야기하는 사람들도 있다. 그 때마다 노동조합은 단호하게 우리는 블라인드를 보지 않는다고 이야기한다. 앞에서 이야기했지만 사측과의 대화에서도 블라인드 이야기는 사라졌다. 여전히 이 쾌감이 아쉬운 사람들만이 블라인드에 남아서 글을 올리고 이런 글과 댓글들의 진흙탕 싸움 양상이 궁금한 사람들이 구경꾼 마냥 조회를 하고 있을 것이다. 조회 수가 높다고 공감도가 높다고 생각한다면 착각이다. 노동조합이 판단컨대 그냥 구경꾼일 뿐이다.

구경꾼이라고 판단하는 데에는 몇 가지 이유가 있다. 노동조합이 직접 만난 조합원들은 그들이 MZ세대이든 또 다른 세대이든 전혀 다른 생각을 가지고 있는 경우가 많았다. 이 다른 생각이라 함은 통상적인 우리 공단의 직원들이 가지고 있는 생각들을 말한다. 소위 말해서 회사 생활은 성실하게 열심히 해야 하고, 주어진 환경에서 본인들이 해 나갈 수 있는 부분을 해내고, 많은 업무는 전문성을 키워가며 충실하게, 그리고 더 나아가서는 공단의 구성원으로서 산재예방 사업의 미래를 건전하게 걱정하는 그런 생각들 말이다. 그러면 또 블라인드 속에서 사는 사람들은 이것은 사탕발린 소리일 뿐이며 실상은 전혀 다르다는 볼멘소리를 쏟아낼 수도 있다. 맞다. 사람은 그렇게 이성적인 판단 하에서 다른 사람과의 상호존중하며 대인관계를 하기 때문에 내가 남에게 꺼내기 힘든 말은 의식 아래에 고이 감추고 있는 것이다. 그리고 의식에 있는 말을 다 꺼낸다고 인간세계가 제대로 돌아가는 것도 아니다.

한 편으로는 제대로 된 소통창구의 부재라는 현실적인 문제점도 간과할 수는 없었다. 그래서 노동조합 신문인 바람터를 창간해서 나의 목소리를 제대로 알릴 수 있도록 하고 근로시간면제자들은 원데이상담소를 통해 조합원 개개인의 목소를 직접 듣는 기회를 늘린 것이다. 집행부는 굳이 저녁자리가 아니라도 점심시간에 도시락 미팅을 추진하면서 가벼운 식사자리를 통해 여러 이야기를 할 수 있는 자리를 만들었다. 앞에서 나를 드러내고 직접 의견을 개진하고 그 의견에 대해 상호토론 하는 사람들의 이야기를 먼저 들어줘야 하지 않겠는가? 이 사람들의 의견을 정리하고 해결해 나가기에도 시간이 모자라기 때문에 익명게시판의 글은 대응이 어렵다. "그래서, 블라인드인들에게는 항상 미안합니다(p.s. 그런데 거기서 살고 계신 분들은 조합원이 맞기는 한가요?)"

MZ세대는 정말 회식을 싫어하는 걸까?

나이가 있는 조합원들의 기본전제는 MZ세대는 회식을 싫어한다는 것이다(이것은 간부들도 비슷하게 생각하는 것 같다). 언젠가 어느 지부를 방문했을 때, 나이가 지긋한 조합원 한 분과 이야기를 나누었는데 MZ세대는 회식 자체를 싫어하기 때문에 아예 생각을 하지 말아야 한다는 이야기를 하셨다. 그래서 우리는 '아니다. MZ세대도 사람에 따라 또는 분위기에 따라 다르다'라고 대답을 했더니 절대 그렇지 않다는 것이다. 물론 더 이상 긴 이야기는 하지 않았다. 아마도 본인의 경험에서 나오는 생각이기 때문에 쉽게 바뀔 것 같지 않기 때문이다. 이 분만 그런 것이 아니라 나이가 있는 분들은 이런 경험이 많은 것 같다.

MZ세대 보다 우리 이야기를 먼저 하고 싶다. 사실 우리도 그 시절의 MZ세대였는데 이 사실을 지금 기억하고 있을까? 그 시절 우리도 별종이었다. 선배들이 하면 안 된다고 하는 것은 왜 하면 안 되는지에 대한 궁금증이 앞섰고 다른 방식으로 어떻게든 해 보고 싶었다. 그래서 업무 중에 톡톡 튀는 이야기들을 가감 없이 꺼내기도 했고 어떤 선배들은 '요즘 애들은 이래서 안 되는 거야' 또는 '역시 요즘 애들은 달라' 한편으로는 '시키면 시키는 대로 해 (소위 말해서 까라면 까)'와 같은 내용으로 응답을 하곤 했다.

우리 때의 회식은 즐거움이 넘치는 자리였던가? 1차 식사자리를 마치고 2차로 노래방 가는 것이 기본이었고 이후 분위기에 따라 3

차를 가기도 했었다. 여기서는 어디에 갈등의 포인트가 있을까? 그렇다. 1차 식사 자리가 문제가 아니라 2차 노래방이다. 젊은 직원들은 노래방에 가면 항상 노래도 먼저 불렀어야 했고 또 어떤 때에는 춤까지 춰야 했었다. 지금 MZ세대들의 말을 빌리자면 '극혐'과 같은 회식 자리였으니 당연히 모두가 웃고 떠드는 즐거운 회식자리는 아니었다. 그렇다고 술을 마시고 싶으면 마시고 마시기 싫으면 안 마실 수 있었느냐 하면 그렇지도 않았다. 술은 거의 반강제로 마시는 분위기였다. 여기에 한 술 더 떠서 앞에서 잠시 이야기 한 '술잔 돌리기'가 곳곳에서 연출된다. 글을 쓰다 보니 나도 모르게 웃음부터 나는데 정말 웃겨서 나는 웃음이 아니라 어이가 없어서 웃음이 난다는 말이다.

말을 꺼낸 김에 잠시 술잔 돌리기에 대해 조금 자세히 이야기를 해 보자. 각 자 앞에 놓인 소주잔에 소주를 채우고 시작하는 것은 지금의 여느 술자리와 똑같다. '짠'하고 다 같이 한 잔 마시고 나면 맞은편에 앉은 사람이 미소를 띠며 자신의 술잔을 나에게 건넨다. 그리고 그 잔에 술을 따라 주는 것이다. 마치 나를 챙겨주고 걱정해주며 한 편으로 친해지고 싶다는 그런 의미 같다. 그러면 나는 건네받은 술잔의 술을 '쭈~욱' 마시고 다시 원래 술잔 주인에게 잔을 건네고 소주를 채워준다. 이렇게 술잔을 동료와 함께 주고받는 과정이 추측컨대 술자리에서 어떤 관계를 만들거나 개선해 나가는 그런 의미를 부여한 것이 아닐까 하는 생각이 든다.

여기서 재미있는(또는 MZ세대의 말로는 극혐일 수 있다) 포인트는 이미 누군가의 입을 거쳐 간 술잔을 서로주고 받을 때의 과정이다.

어떤 사람은 소주잔 옆에 생수를 채워놓은 맥주잔을 하나 두고 그 맥주잔에 소주잔 입구를 살짝 헹궈서 상대방에게 건넨다. 어떤 사람은 물수건에 소주잔을 닦아서 건네는데 여기서 물수건이 새것인지 여부는 술자리가 길어질수록 아무도 알 수 없다. 또 다른 사람은 자신의 와이셔츠 어깨 부분에 소주잔을 '슥슥' 문질러 닦아서 상대방에게 건네기도 한다. 술자리 시작부터 술잔 돌리기를 대비해 처음부터 자신의 소주잔에 입을 대지 않고 '탁' 한 번에 털어 마시는 사람은 그래도 양반 중의 양반이다. 최악은 자신이 마시던 소주잔에 아무런 조치를 하지 않고 바로 넘겨주는 사람이다. 물론 이런 소주잔에는 온갖 이물이 함께 붙어 있는 경우가 많았는데 상대방이 맛있게 먹고 있던 안주일 가능성이 높다.

코로나 시절을 지낸 지금은 상상도 할 수 없는 문화이다. 코로나 덕분인지 술잔 돌리기 문화는 지금 우리 공단에서는 흔적을 찾아볼 수 없다. 아주 가끔 과거의 추억에 빠져 술잔을 돌리는 극히 일부의 사람이 있기도 하는데 상대방이 예전처럼 자연스럽게 받아주는 것이 아니라 싫다는 노골적인 표정을 드러내도 인간관계에 별 무리가 없을 정도이다. 이런 술잔 돌리기를 하던 시절의 회식이 당시의 젊은 세대에게 얼마나 곤욕의 자리였을까? 그 때도 부서에서 회식한다고 하면 서로 참석하겠다고 손드는 분위기는 절대 아니었으니까 말이다. 그리고 술 마시는 방법에 대한 부분 이외에도 그 때나 지금이나 한 가지 중요한 점은 좋고 재밌는 사람과의 회식자리는 언제나 즐겁지만 그렇지 않은 사람과의 회식 자리는 언제나 괴롭다는 것이다.

그렇지 않은 유형은 어떤 사람을 말하는 것일까? 그 동안 수차례의 회식 경험을 토대로 몇 가지 유형을 추측해 보자면 보통은 이런 사람들이다. 첫째, 회식 자리에서도 회사 이야기를 하는 사람이다. 전형적으로 회식이 업무의 연장선상에 있는 유형이다. 이런 사람은 회식 자리에서도 차장, 과장, 대리에게 끊임없이 업무에 대해 물어보고 내일 할 일에 대해 이야기 한다. 물론 그들은 지시가 아니라 그냥 이야기 하는 것이라고 하겠지만 결국은 이야기를 가장한 지시일 뿐이다. 꼭 비조합원인 간부들만 이렇다고 단정 지을 수는 없다. 그나마 젊은 축에 속하는 3급 차장 조합원도 그럴 수 있다. 근로시간면제자가 사측 사람과 저녁식사 자리를 할 때에도 꼭 이런 유형의 사람이 있다. 노동조합 앞에서 온갖 회사의 현안을 시시콜콜 설명하는데 솔직히 말해서 근로시간면제자들도 저녁식사 자리에서 이런 이야기를 듣고 있자면 지친다. 자연스레 이런 이야기를 하는 사람 곁에는 싫지만 싫다는 말을 하지 못하는 1~2명밖에 남아 있지 않는다.

둘째, 자기 혼자만의 이야기를 계속 하는 사람이다. 사람 간의 대화는 주고받는 상호작용 그 자체이다. 오고가는 대화 속에서 흥미를 느끼고 대화에 참여하고 있음을 느낀다. 그러나 상대방이 좋아하는지 싫어하는지에 대한 눈치도 없이 자신의 '라떼는 말이야' 이야기를 쉴 틈 없이 이어나가는 유형의 사람들이 있다. 문제는 이야기가 그나마 재미라도 있으면 다행인데 열에 아홉은 이미 예전에 했던 이야기를 또 하거나 처음 듣는다 해도 재미없는 이야기인 경우가 대부분이다. 이런 이야기를 하면 혹자는 개그맨도 아니고 어떻게 매번 재미있게 이야기를 하냐고 반문을 할 수도 있다. 물론 개그맨처럼 재미있게 이야기 할 필요는 없지만 최소한 상대방이 재미없어 하는 이야기라면 자제할 수 있는 눈치 정도는 있어야 한다는 의미이다. 그리고 정말 의사소통 하고 싶은 생각이 있다면 재미있게 말을 해 보려는 노력 정도는 해야 하지 않을까 하는 생각도 든다. 누구나 한 번쯤 연애의 경험이 있겠지만 관심을 가지고 있는 사람에게는 똑같은 이야기라도 더 재미있게 하려고 의도적인 노력을 기울이지 않는가? 직장에서도 마찬가지가 아닐까 한다.

셋째, 술로 이 자리를 끝내겠다는 유형이다. 이런 유형의 사람은 다 필요 없고 오직 술이다. 덕분에 적절한 시점에 마무리 되어야 할 회식이 끝날 기미가 보이지 않는다. 개인에 따른 여러 편차가 있는 술을 일방적으로 강요한다면 술을 싫어하는 사람의 입장에서는 더욱 부담스럽다. 아무리 재미있는 사람이라도 술의 적정선을 넘는다면 문제가 있다. 모두가 그런 것은 아니지만 보통 이런 사람들은 어떤 방식으로든 조직생활에서 문제를 야기할 가능성도 상대적으로 크다. 그 문제는 성희롱이 될 수도 있고, 술김에 헛나온 말로 인한 괴롭힘이나 갑질, 또는 술 그 자체로 인한 음주 관련 문제일 수도 있다.

MZ세대가 아니라 우리도 저런 유형의 사람들과 함께하는 회식은 싫다. 회사업무 이야기는 퇴근 후에는 더 이상 듣고 싶지 않고 재미없는 이야기는 회사 사람들 앞에서 하지 말고 본인 혼자 또는 이런 본인을 이해해주는 사람들 앞에 가서 하라고 이야기 하고 싶다. 술? 다음 날 우리도 피곤하기만 하다. 근로시간면제자를 하면서 정말 많은 MZ세대들과 술자리를 가졌다. 그들이 모두 회식을 싫어할까? 우리의 답은 '그렇지 않다'이다. 대표적으로 전국 지부 스킨십 미팅을 순회할 때와 2022년에 있었던 역대 집행부 최초의 전국 사무국장회의를 들고 싶다.

전국 지부를 순회하는 스킨십 미팅을 가면 절대 노동조합이 많은 이야기를 꺼내지 않는다. 노동조합의 이야기는 이미 낮에 다 했다. 저녁 식사자리에서는 물어보는 것에 대답을 하는 수준에서 참석을 한다. 궁금한 것을 물어보는 자리인데 아무래도 재미가 있지 않을까? 절대 선배라고 '나 대접해주시오' 하는 식의 회식은 하지 않는다. 그리고 MZ세대들의 집합체라고 할 수 있는 전국에서 모인 사무국장들과의 저녁자리는 속칭 10~20년 전 회식과 별반 다를 바가 없었다고 해도 무리가 없을 정도로 웃고 떠들고 마시는 그런 자리였다. MZ세대는 술자리를 싫어한다고 누가 이야기 했는가? 예전에 우리도 그랬고 지금도 그렇지만 회식은 함께 하는 사람이 누구인가가 중요하다. MZ세대를 탓하기 전에 자신의 모습을 먼저 살펴보는 것도 필요할 것 같다.

4. 해결해야 할 것과 해결할 수 없는 것

노동조합이 반드시 조합원을 보호해야 할 때

노동조합이 반드시 조합원을 보호해야 할 때가 있다. 물론 해고와 같이 첨예하고 민감한 사건은 당연한 이야기이지만 일상적인 상황에서는 '성희롱, 괴롭힘, 또는 갑질'과 같은 사건이 조직 내에서 발생했을 때이다. 전문적인 지식을 가지고 있는 사람들의 다양한 서적들을 시중에서 쉽게 구할 수 있기 때문에 성희롱, 괴롭힘, 또는 갑질에 대한 개념적인 부분과 구체적인 노동사건 사례 등에 대해서는 이 책에서 언급하지 않겠다. 현실적인 우리 공단의 내부적인 이야기를 하고 싶은데 부끄럽지만 우리 조직은 성희롱, 갑질 및 괴롭힘이 완전히 근절되었다고 이야기하기 어렵다. 더 정확하게는 여전히 조직 내에서 이런 일들이 발생하고 있다고 이야기해야 할 것 같다. 각 사건이 가지고 있는 무게감은 차치하더라도 9기 집행부 임기 3년 동안 매년 이런 일들은 있었으니까 말이다.

이런 일의 중심에 있는 피해자에게는 여전히 끝나지 않은 일들일 수 있고 이런 일이 다시 회자되는 것에 대해 상당한 거부감이 있을 것이다. 그래서 이 책에서 각 사건의 세부적인 내용을 언급하고 싶지 않다. 단지, 우리 공단의 제도적인 부분들과 절차적인 부분에서 어떤 문제점들이 있고 그리고 이 과정에서 노동조합의 노력과 현실적인 한계점에 대해 이야기 하고자 한다. 아마 여러 다른 노동조합들도 이런 부분에 대해서 단사 간의 공유가 필요하다는 것을 느끼고 있을 것이다.

이런 문제들의 한 가지 공통적인 특징은 결국 곪아터지고 난 뒤에야 조직적 차원에서 대응을 시작하는 것으로 문제는 가시화 된다는 점이다. 이런 조직적 대응이란 결국 감사와 징계로 마무리 된다. 이런 일들에 있어서 예방적 기능이 전혀 작동하지 않는다는 것이 가장 큰 문제점이라는 것을 먼저 이야기 하고 싶다. 모순적이게도 우리 공단은 사고발생 이전에 예방 업무를 수행하는 곳인데 이런 공단에서 조차 예방기능이 내부적으로 제대로 작동하고 있지 않다는 말이다. 그래서 부끄럽다는 이야기를 앞에서 먼저 꺼냈다.

몇 번의 사례들이 있었는데 노동조합이 보기에 사측은 사건의 경중을 떠나서 강한 근절 의사를 보이지 않는 것 같았다. 어쩌면 임직원 2,000여명이 넘는 조직에서 이 정도면 양호한 수준으로 보고 있는 것인지도 모르겠다. 대표적인 조치가 결국은 전보조치를 통한 가해자와 피해자의 분리였고 성희롱과 괴롭힘 사건이 동시에 발생한 경우에는 그나마 인사적인 징계가 따랐다. 전보를 통한 분리조치가 가해자에게 얼마 큰 영향을 미치는 조치인지, 또는 주변의 직원들에게 어떤 메시지를 주는 것인지에 대해서는 의문점이 상당하다.

회사는 왜 이런 문제에 대한 강한 근절의지를 보이지 않을까? 부담스러워서? 바빠서? 다시 예방에 대한 이야기로 돌아가 보자. 성희롱, 괴롭힘 또는 갑질과 관련한 내부 지침들이 있는데 이 지침들에는 사전 예방적 내용이 포함되어 있어야 할 것이고 실제 현장에서 작동되어야 실효성이 있다고 할 수 있을 것이다. 안타깝게도 그 동안 우리 공단의 지침은 이 둘을 모두 놓치고 있었다. 대신에 문제가 조직적으로 인지되고 난 이후에는 지침의 내용을 문구 그대로 충실하게 잘 따랐다. 일례로, 괴롭힘과 관련해서는 '지속, 반복적이어야' 괴롭힘으로 인정된다는 문구가 지침에 있는데 문제가 되는 폭언을 똑같이 지속, 반복되어야 인정할 수 있다는 식의 지침 해석이다. 물론 이후 사후관리 차원의 재발방지 교육 등은 전혀 제대로 이루어진 바가 없다는 것이 노동조합이 온 몸으로 체감한 상황이다.

조사가 진행되는 과정을 간단히 살펴보자. 보통 문제는 어디서든지 발생할 수는 있는데 문제가 발생했다는 것을 최초로 인지한 사람이 보통은 적극적으로 나서지 않는다. 그리고 주변에서도 문제를 일으키는 사람(가해자)에게 직접적으로 이야기를 하지 않는 경우도 많다. 심지어 이런 행동이 문제가 될 수 있다는 것을 주변인이 이야기를 해도 보통 가해자라 불리는 사람들은 그 말 자체의 심각성을 인식하지 못 하는 경우도 많다. 문제를 심각하게 인식하지 못하는 이유는 개인적인 부분(예를 들어, 타인의 말을 제대로 경청하지 않는다는 등)과 같은 통제하기 어려운 부분도 있겠지만 분명한 것은 우리 공단의 정확한 과거 사례에 대한 현실성 있는 예방 교육이 제대로 이루어지지 않고 있다는 것이 정확한 진단일 것이다. 사측은 매년 관련 교육을 하고 있다고 주장하겠지만 외부강사에 의존하거나 온라인을 통해 받는 이런 교육은 직원들에게는 뉴스에서나 보는 남의 이야기인 것처럼 인식되는 경우가 많다. 결국 내 행동이 문제행동임을 제대로 인식하지 못하는 불상사로 이어지는 것이다.

더 문제는 실제 문제가 발생하고 난 다음인데 회사의 정식 창구로 문제가 접수되면 관련 담당자가 상담을 진행한다. 상담이라는 것이 단어만 놓고 보자면 선후배 간의 상담, 동료 간의 상담과 같은 가벼운 의미로 받아들여질 수도 있는데 여기서의 상담은 그런 가벼운 말을 주고받는 상담이 아니라는 것은 삼척동자도 알 수 있다. 성희롱, 괴롭힘 또는 갑질 같은 단어가 주는 무게감만큼 상담은 전문성이 있어야 하고 한 편으로는 피해자에게 상담 그 자체가 또 다른 2차 가해가 되지 않도록 조심스러울 필요가 있다. 그러나 우리 공단에서 지정되어 있는 상담원들은 제대로 된 교육 한 번 받은 적이 없는 사람들이 대다수이다. 물론 이 역시 회사 입장에서는 상담원으로 지정이 되면 외부에서 교육을 받는다고 주장할 수 있다. 앞에서 이야기지만 그런 일회성 외부 교육을 받았다고 해서 평소 전혀 다른 일에 매진하고 있는 사람들이 사건 발생 시 갑자기 전문 상담원으로 둔갑할 리는 전무하다.

그나마 일선 기관에서는 이렇게 상담원이라고 지정된 사람들 조차 매년 전보 때 마다 바뀐다는 것은 더 큰 문제이다. 즉, 이 업무는 상담하기 위해 준비된 사람이 맡는 것이 아니라 공단의 전보과정 속에서 누구나 맡을 수 있는 일 중의 하나에 해당하는 수준이다. 전문성을 갖추고 싶어도 환경이 그렇지 못하다. 공단 본부의 인사부서에 있는 직원들이라고 별반 다를 것은 없다. 보통 지역본부(지사)에서 자체적인 상담으로 해결되지 못할 때 공단 본부에 있는 인사부서로 사건이 이첩되는데 본부 인사부서의 직원들의 상담 수준이 그렇게 높지는 않은 것 같다는 말이다. 역시나 일회성 교육은 받았겠지만 지역본부(지사) 보다 업무강도가 높아 주어진 일을 하기에도 바쁜 사람들이다.

보통 다른 기관의 감사는 감사부서에 발령이 나면 짧게는 4~5

년, 길게는 10년씩 감사업무를 하며 전문성을 키우는 것이 기본이다. 우리가 입사했을 당시 공단은 그랬지만 지난 몇 년간은 그렇지 않았다. 감사부서의 감사인들은 1~2년마다 교체가 되었고 심지어 그 짧은 기간 동안 승진까지 하는 사례가 심심치 않게 확인되었다. 공단에 입사할 때부터 전문 감사인으로 준비된 사람이 있었던가? 최근 공단의 감사 전문성 역시 조합원의 입방아에 늘 오르내리는 주제인데 이런 상황의 감사인들이 성희롱, 괴롭힘 또는 갑질처럼 평소 접하기 쉽지 않은 주제를 전문성 있게 조사할리도 만무하다.

그렇다면 이런 와중에 노동조합은 무엇을 했는가? 노동조합 입장에서 중요한 문제는 위의 상담과 조사과정에 있어서 어디에도 노동조합이 정식으로 개입할 수 있는 여지가 없다는 부분에 있었다. 9기 집행부 임기 1년차 때는 문제를 야기한 간부를 직접 감사실에서 조사해 줄 것을 요청하는 공문을 발송해 실제 조사가 진행된 바가 있다. 이어서 임기 2년차 때는 노동조합이 조사과정에 개입할 수 있는 근거가 필요함을 느끼고 제10차 단체협상을 진행하면서 관련 문구를 단체협약서에 명시했다. 이후의 관련 사건은 개정된 단체협약서 덕분에 조사과정에 직접 참여해서 가해자가 어떤 이야기를 하는지 그 자리에 앉아서 청취할 수가 있었다. 무엇보다 성희롱이나 괴롭힘 또는 갑질 관련 내부지침 개정이 시급한 문제임을 인식했다. 2023년 1분기 노사협의회에서는 해당 안건을 정식으로 상정하고 회사의 적극적인 개정을 요구했으며 단 한 번의 사건 발생으로도 가해자는 철저한 처벌을 받을 수 있도록 원스트라이크 아웃제 도입을 요구했다.

이런 일들을 직접 경험해 보지 못한 사람은 아무리 설명을 해도 이해하기가 쉽지는 않다. 막상 사건의 당사자 되면 이 과정이 얼마나 지루하고 괴로우며, 또 한 편으로는 많은 동료들이 마치 도와줄 것 같지만 그렇지 않은 사람들이 더 많다는 사실에 힘들다. 노동조합은 우리 조직의 이런 사건들에 더 적극적으로 뛰어들고자 한다. 경영평가 1점 더 받는 것이 중요한 것이 아니라 내부 조직문화를 단단하게 만들기 위해서 가장 먼저 해야 할 일이 바로 성희롱, 괴롭힘, 갑질을 뿌리 뽑는 것이기 때문이다.

노동조합이 보호할 수 없는 것들(음주운전, 성희롱)

노동조합이 항상 조합원을 보호하면 좋겠지만 안타깝게도 그렇게 하기 어려운 것들이 있다. 누구나 예상할 수 있는 그런 것인데 대표적으로 음주운전, 성희롱 같은 공공기관 노동자들이 사회적으로 지탄받을 수 있는 행위들이다. 몇 년 전 우리 공단은 약 10년 만에 감사원 감사를 받은 적이 있다. 감사의 도마 위에 오른 몇 가지 문제들이 있지만 조합원들에게 가장 큰 이슈가 된 것은 바로 음주운전이었다.

감사원은 지난 몇 년간의 경찰청 기록을 토대로 음주운전 사실이 있는 직원들을 확인했고 그 동안 눈에 드러나지 않았던 음주운전 문제가 가시화되었다. 당사자 입장에서는 어떻게 할 방법이 없었고 공단 조직 차원에서도 특별한 방법이 없었다. 노동조합 역시 마찬가지였다. 결국, 감사원 감사가 종료되는 시점에 해당 직원들은 징계처분과 더불어 하향전보 조치가 되었다.

성희롱 문제 역시 마찬가지이다. 절대 조직 내에서 발생하지 말아야 할 문제이며 만약 조합원이 이런 피해를 입었다면 당연히 노동조합이 나서서 보호를 해야 하지만, 혹여나 조합원 간에 이런 문제가 발생한다면 이것은 노동조합에서 보호해 줄 수 없는 문제이다. 이 때 노동조합은 철저하게 피해자 보호 원칙에서 움직이며 똑같은 조합원이라고 가해자를 피해자와의 동일한 선상에 놓고 보지는 않는다. 그래서 보통 이런 문제가 발생하게 되면 노동조합은 더 이상 조사과정에 관여하지 않고 공단의 내부적인 절차에 따라 진행하는 것을 지켜보고 있는 경우가 대부분이다. 그래서 최종 징계심의위원회에도 참여하지 않는 경우가 많다.

음주운전이나 성희롱과 같이 기본적으로 조합원을 보호하기 어려운 문제에 있어서 노동조합이 아예 관심을 끊고 있는 것은 아니다. 조합원 개인을 보호하고자 하는 차원이 아니라 문제를 처리하는 공정성의 관점에서는 안테나를 치켜세우고 있다. 혹시 간부들에게는 사측이 더 관대한 기준을 들이대고 있는 것은 아닌지, 3급이하 조합원에게는 더 가혹한 기준을 들이대고 있는 것은 아닌지와 같은 것이다. 그 동안 노동조합이 지켜봤던 사측의 기준이 절대적 공정성을 가지고 있다고는 보지 않기 때문이다. 전보가 잦은 공단의 특성상 인사부서 담당자와 책임자가 어떤 생각을 가지고 있느냐에 따라 또는 과거 히스토리의 업무인수인계 정도에 따라 차이가 있을 수 있기 때문이다. 그렇기 때문에 노동조합이 공정성의 문제에 있어서는 눈을 부릅뜨고 지켜볼 필요가 있다.

그리고 조합원들 역시 분명히 인지할 필요가 있다. 문제가 있는 간부들을 조합에서 제지하는 것도 중요하지만 조합원인 우리 스스로도 이런 문제에 있어서는 그 누구보다 높은 기준을 가지고 철저하게 행동해야 할 필요가 있다. 이런 문제에 우리 스스로 얽히지 않을 때 노동조합이 더 당당해지고 사측을 압박하는 강한 결집력이 생기기 때문이다.

가장 머리 아픈 문제(조합원에게 피해를 주는 조합원)

언제부터인가 노노(勞勞)갈등이라는 말이 우리 주변에서 들리기 시작했다. 물론 앞에서 이야기 했던 세대갈등이 노노갈등이라는 또 다른 용어로 언급되는 것 역시 사실이다. 그러나 여기서 노노갈등은 조금 다른 의미이다. 직설적으로 말하자면 조합원에게 피해를 주는 조합원, 그들로 인한 조합원 간의 갈등이라고 이야기 하는 것이 노노갈등의 정확한 의미일 것 같다.

1,700명의 조합원이 한 조직 내에서 일을 하고 있으면 여러 가지 일들이 벌어진다. 대다수의 조합원들은 각자의 자리에서 맡은 업무를 충실히 해내고 있다는 데에는 이견이 없다. 항상 문제는 일부 소수에게 있다. 최근 어떤 조합원들은 기본적으로 자신에게 주어진 일을 하지 않는 경우가 있다는 첩보가 노동조합에 들려오는 경우가 있다. 소위 말하는 조합원에게 피해를 주는 조합원이다. 기본적으로 부서 업무분장부터 문제가 시작되는 경우가 많아 보였다. 예를 들어, 100이라는 일이 부서에 주어져 있다면 각 직급과 전공

분야에 따라, 그리고 구성원 간에 충분한 협의를 통한 업무문장을 통해 100이라는 양 만큼의 일을 어떻게 수행할지 정리해야 할 것이다. 물론 요즘 젊은 직원들이 업무분장의 공정성에 대해 많은 이야기를 한다는 것은 잘 알고 있다. 그러나 이 문제는 상당히 복잡한 문제이기 때문에 여기서는 논외로 하자.

문제는 무조건 '나는 못하겠다'는 사람이 있다는 것이다. 그리고 더 문제는 이렇게 '배째라'하는 식의 사람이 결국 자신의 의견을 관철한다는 것이다. 여기에는 아마도 주변 사람들이 이런 부류의 사람과 갈등을 만들기 싫기 때문에 결국은 원하는 데로 해주는 것이 가장 큰 이유일 것이다. 덕분에 이런 사람은 한 해 동안 편하게 일을 하고 이 사람의 몫만큼이 다른 직원들에게는 더 큰 업무 부담으로 돌아가게 된다.

어떻게 해야 할까? 다 같은 조합원이기 때문에 일을 못 하겠다는 조합원 역시 어떤 사유가 있으니 들어줘야 하는 것일까? 결론은 그렇지 않다고 본다. 통상 이런 문제는 노동조합이 직접 관여하기 보다는 기본적으로 업무를 제대로 수행하지 않는 직원에 대한 감사 기능의 정상적 작동이 최우선이라고 본다. 이 한 사람 때문에 다른 여러 사람이 피해를 보는 것은 아니지 않은가?

또 다른 조합원은 하위 직급의 조합원에게 갑질을 하는 경우도 있다. 성희롱이나 음주운전 정도의 수위는 아니라서 그런지 또는 자신의 행동이 갑질이라고 인지를 하지 못 해서 그런 것인지 그 이유는 알 수 없지만 여전히 나이가 많다는 이유로 또는 직급이 깡패라고 조합원 간의 갑질 사례도 심심찮게 확인할 수 있다. 역시 조합원을 힘들게 하는 조합원의 사례이다. 갑질에는 감사 같은 '매'를 들이대기 보다는 일단은 교육이 필요하다고 생각한다. 우리 공단은 앞에서도 이야기 했지만 괴롭힘이나 갑질 예방에 있어서 갈 길이 멀다. 더 체계적인 예방 시스템을 구축해야 하고 그 중 하나가 현실성 있는 교육이다. 최소한 '몰라서 그랬다' 라는 말은 나오지 않아야 한다. 갑질은 간부가 조합원에게 하는 것만 해당되는 것은 아니다. 조합원간의 갑질도 갑질에 해당되며 소위 '을질'이라고 하는 반대행위 역시 문제행위이다. 즉, 아래 직급의 조합원이 상위 직급의 조합원에게 '배째라'식으로 하는 행동 역시 갑질이라는 의미이다.

직장생활을 하다보면 여러 가지 일들이 발생할 수는 있는데, 최소한 주변 사람들에게 피해는 주지 않아야 한다. 9시가 출근이라면 8시 58분에 출근하는 것이 문제일까 아닐까? 사무실에 옆자리에 전화가 왔는데 대신 받아 주는 것이 좋을까 그냥 모른 채 있는 것이 맞을까? 내 업무가 아니면 일단 모르겠다고 하는 것이 맞을까 아니면 상황이 어떤 것인지 한 번은 들어보는 것이 맞을까? 사실 정답은 없다. 보는 사람마다, 그리고 그 때의 상황에 따라 여러 변수들이 있기 때문이다. 한 가지 확실한 것은 발생하는 여러 상황에 있어 주변 사람의 의견을 들어보고 나의 생각에 대한 충분한 의사소통을 할 필요는 있다. 최소한 같은 상황 속에서 서로 다른 생각을 하는 일은 예방하는 것이 최선이기 때문이다. 어쨌든 같은 조합원들에게 피해를 주는 조합원이 되지는 말자! '돌아이(stone+I) 총합의 법칙'이라고 들어보았는가? 주변에 그런 사람이 없다면 혹시 내가 아닌지 한 번쯤 스스로 생각해 볼 필요가 있다!

5. 업무직(공무직)은 이제 우리 공단의 식구

같지만 다른, 다르지만 같은 너와 나

문재인 정부의 여러 노동 정책 중 우리 공단에 직접적인 영향을 미친 것 하나는 업무직(공공기관의 공무직을 말한다)의 정규직 전환이다. 사실 이 일은 8기 집행부부터 시작된 일인데 당시 정부의 공공부문 비정규직 제로시대 선언에 따라 공단은 2019년에 기존 파견직 직원을 자회사 전환 방식을 통해 정규직으로 전환을 완료했다. 정규직 전환 과정에서 노동조합은 이들을 조합원으로 받아들여야 할지에 대한 고민이 있었지만 신중한 고민과 그들의 요구 속에서 결론적으로 우리는 하나의 노동조합이 되었다.

하지만 그 당시 공공부문 정규직 전환 정책이 노사정 간의 긴밀한 사전협의 하에 나온 정책이 아니었으며 공공기관의 특수성이나 업무직의 직종별 다양성을 고려하지 않고 획일적으로 기준을 정하다 보니 열악한 처우 개선에는 분명한 한계가 있었다. 오히려 아무런 준비가 되어 있지 않은 상태에서 껍데기만 공단, 노동조합 소속이 된 그들의 현실적인 대우는 오히려 그 전만 못한 경우도 있었으며 한편으로는 기존 정규직 직원들과의 일부 노노갈등까지 생겨나게 되었다.

　정부는 정규직으로 전환하면서 기관별 자체 재원을 활용하게 하였고 인건비 편성도 예산편성지침 상 총인건비 인상률을 준수해 예산을 편성하도록 했다. 총액인건비 재원 범위 내에서 처우 개선을 시행하다 보니 기존 정규직 직원들의 양보가 수반되지 않으면 업무직의 처우개선은 필연적으로 공단의 재정적 부담이 될 수밖에 없는 실정이었다. 울며 겨자 먹기 식으로 기존 예산을 가지고 일부 업무직들에게 나눠주는 모양새가 되었고, 예를 들어 복지포인트 같은 경우에도 기존 직원들에게 지급되던 전체 파이의 일부를 떼어서 업무직들과 공유를 하게 된 것이었다. 이런 부분을 노동조합에서 아무리 자세하게 설명한다고 한들 정부예산정책이나 공단의 예산구조 등에 대해 익숙하지 않은 업무직 조합원의 입장에서는 공공기관 소속 노동자가 되었는데도 왜 이렇게 나아지는 것이 없냐는 볼멘소리가 나오기도 했다. 이렇듯 '같지만 다른, 다르지만 같은 너와 나'가 되어버린 우리는 여전히 갈등의 씨앗이 남아있는 것도 사실이다.

출발선에 선 업무직의 현재, 더 나은 미래를 고민하는 노동조합

　우리 공단 업무직 직종은 환경미화원, 경비원, 시설관리원, 안내원, 연구보조원, 사무보조원, 운전원, 전산원, 전화상담원, 심사원 등 총 10가지로 분류된다. 9기 집행부 출범 이후 조합에서는 업무직 조합원의 목소리를 직접 듣고 소통하기 위해 '업무직협의회'라는 소통 채널을 구축 및 운영하였다. 업무직 조합원들의 애로사항을 직접 듣고 그들이 궁금해 하는 회사와 노동조합의 전반적인 시스템에 대해서 공식적으로 설명하는 등 노사가 공동으로 처우를 개선하려는 취지로 만든 소통 채널이었다. 이 자리에서 나오는 목소리는 노사협의회, 임금협상이라는 노사의 정식 기구를 통해서 논의가 되었고 그 결과 직무근속수당 신설, 격려금 지급 등의 실질적인 처우 개선의 가시적인 성과를 내기도 하였다. 직무가 다양하다 보니 급여 수준 역시 다양했고 일부 직종에서는 최저임금 수준보다 겨우 조금 높은 수준의 급여를 받고 있는 상황이다.

직종명에서 알 수 있듯이 이들은 산재예방 사업을 수행하는 공단의 일반 직원들과는 다른 업무를 통해 공단과 노동조합의 한 구성원으로 자리 잡고 있다. 우리 직원들이 출·퇴근할 때 또는 근무 중에도 수시로 이들과 만나게 되고 업무적으로도 소통을 하고 있다. 이 과정에서 '과연 업무직 조합원들에 대한 호칭은 어떻게 해야 하는 걸까?'라는 부분이 관심사로 부각된 적이 있다. 부장, 차장, 대리, 주임과 같은 직급이 없는 업무직의 기존 호칭은 제각각이었다. 정해진 정식 호칭이 없는 상황이다 보니 '선생님' '아저씨' '아주머니' '어머님', 심지어 연배가 높은 직원들은 '어이'라는 저급한 호칭으로 업무직 조합원을 부르는 사례까지 있었으니 업무직 조합원들은 불만과 함께 자존감이 낮아지는 상황이 발생하게 되었다. 노동조합은 당장 이 문제부터 개선해야겠다는 의지를 가지고 노사 협의를 통해 호칭에 대한 선호도 설문조사를 실시했고, 그 결과 업무직 절반 이상이 선호하는 '실무원'이라는 호칭을 업무직 관리규칙에 반영하게 되었다.

업무직의 내일은 정부의 적극적인 지원이 필수

시간이 흐를수록 업무직 조합원들의 불만은 자꾸만 쌓여가고 있는 것이 현실이다. 급여나 수당, 복지포인트 등의 임금 문제, 근무 환경 등의 복지 문제를 직종별로, 개인별로 수시로 노동조합에 찾아와 개선요구를 하고 있으며 노동조합 역시 이를 해결하기 위해 직·간접적으로 회사와 해결 방안을 모색하고 있지만 쉽지 않다. 공공기관 특성상 별도의 예산을 정부부처(기획재정부, 고용노동부)에서 주지 않는 이상은 업무직들의 모든 요구사항을 내부적으로 해결하기란 불가능하기 때문이다.

노동조합에서는 회사와의 지속적인 논의를 통해 내부적 갈등을 최소화 할 수 있는 방안을 모색하고 더불어 정부가 업무직 처우개선을 위한 내실 있고 현실적인 대안을 마련해 허울뿐인 정규직 전환이 아닌 실질적인 처우개선에 적극적으로 나설 수 있도록 지속적으로 상급단체를 통해 요구할 계획이다. 그리고 노동조합이 이렇게 나서는 이유는 단순히 업무직 직원들이 조합원이기 때문에 그런 것이 아니라 앞에서 말했던 그 어떤 이유보다 이제는 우리 공단의 식구가 되었기 때문이다. 그리고 우리 직원들의 산재예방 사업을 원활하게 수행할 수 있도록 깨끗하게 사무실을 청소해 주고, 춥고 덥지 않도록 안전하게 기계실의 설비를 운용하며, 쾌적한 야외환경을 만들어주는 물밑에서의 이들의 노력을 어떻게 모른 채 하겠는가. 업무직 조합원들이 있기 때문에 우리 일반직 조합원들도 산재예방 사업에 더 집중할 수 있다. 한편으로 예산을 다루는 정부부처도 이런 목소리를 귀담아 들을 필요가 있다.

6. 노동조합의 가장 큰 축제, 대동제

대동제, 그 시작과 의미는

9기 집행부의 임기 초반 코로나가 심각할 때에도 위원장은 임기 중에 한 번쯤은 전체 조합원이 모이는 대동제를 개최했으면 하는 마음을 가지고 있었다. 대동제, 노동조합에서 이 행사는 어떤 의미를 가지고 있을까? 대동제의 사전적 의미를 인터넷에서 검색해 보면 대학축제와 관련한 내용이 많이 나온다. 그리고 네이버 국어사전에 따르면 대동(大同)이라는 단어 그 자체가 가지는 의미는 '큰 세력이 합동함' '온 세상이 번영하여 화평하게 됨' '조금 차이는 대체로 같음'이라고 언급되어 있다.

노동조합 초창기 이야기를 선배님들에게 들어보면 갓 조직을 꾸리기 시작한 노동조합은 당시 700~800여명 규모의 조합원들이 어떻게든 한 자리에 모여야 소위 말하는 쪽수로 노동조합의 단결된 힘을 사측에 보여줄 수 있다고 생각했다고 한다. 그래서 일 년에 한 번은 다 같이 모이는 자리를 만든 것이 당시 대동제의 시작이었다고 한다. 그렇게 한 동안 대동제는 일 년에 한 번씩 개최가 되었던 것 같다.

우리가 입사를 했던 2005~2007년 즈음에도 대동제는 집행부 임기 중에 한 번 정도 개최했던 것으로 기억되는데 그 때는 대동제 이외에도 노사가 함께 주관하는 '노사한마음 체육대회'도 임기 중에 한 번 정도 개최를 했던 것 같다. 그러니 집행부 임기 중에 최소 두 번은 전체 조합원들이 한 자리에 모이는 기회가 있었던 것이다. 안타깝게도 사측과 함께 개최하는 이런 체육대회는 2014년 즈음 세월호 사건을 기점으로 모두 추억의 뒤편으로 사라지게 되었다. 이후, 이명박, 박근혜 정권이 들어서면서는 '방만경영'이라는 프레임에 체육행사를 옭아매면서 이런 행사는 개최하기가 힘들어졌다. 그 결과, 남은 것은 노동조합의 대동제였다. 그렇게 노동조합은 집행부 임기 동안 한 번은 대동제를 개최했었고 우리 기억에 남은 마지막 대동제는 7기 집행부 임기 3년차인 2017년에 개최된 대동제였다.

공단에서 직장생활을 하며 대동제를 경험해 보면 여러 가지 생각이 든다. 이른 새벽 시간에 지부 조합원들과 함께 버스를 타고 행사 집결지로 이동하는 것부터, 전국에 흩어져 있던 동기들과 한 자리에 모여 서로의 안부를 묻는 것, 또는 그 날 준비한 음식과 술을 먹으며 업무에서 해방될 수 있는 것까지. 좀 더 크게 생각해 보면 우리 노동조합에서 이렇게 큰 행사를 할 수 있다는 것에 대해서 나름 공단 조직생활에 자부심을 느끼게 되는 것, 그리고 이 행사를 주최하는 것이 노동조합이라는 사실은 이 조직의 일원이라는 것에 대해 뿌듯함을 넘어 어떤 강한 소속감을 느끼게 해 준다.

이 행사에 참여한 경험이 있느냐 없느냐는 공단생활을 어느 정도 해 봤다 여부를 이야기하는 기준이 되기도 했고 대동제는 그 집행부에 대한 나름의 평가 잣대가 되기도 했다. 그리고 대동제 이야기는 전국 각 지부 조합원들의 술자리에서 빠지지 않는 단골 안줏거리이기도 하다. 여기에는 현재 공단 간부들도 예외가 없는데 결국 지금의 간부들도 과거 조합원 시절 대동제에 대한 경험이 있기 때문이다. 그 만큼 우리 노동조합에 있어서, 또 한 편으로는 공단 차원에서도 큰 의미가 있는 것이 바로 대동제라는 행사이다.

이 큰 행사를 우리가 해낼 수 있을까?

9기 집행부에서 대동제에 대한 이야기는 언제부터 나오기 시작했을까? 임기 2년차에 해당하는 2022년 노동조합 사업계획을 검토하던 시점에도 대동제 관련 이야기가 일부 있었으나 그 해에는 코로나 때문에 특별히 진척된 것이 없었다. 이후, 2022년 12월 즈음 근로시간면제자 회의에서 본격적으로 대동제에 대한 언급이 시작되었다. 이 때 대동제 개최에 대한 구체적인 그림을 그리기 위해 근로시간면제자 2명을 업무담당자로 지정했으니까 말이다. 모든 행사는 쉽지 않다. 행사를 진행해 본 경험이 있는 사람은 공통적으로 하는 말이다. 다시 한 번 강조하고 싶은데 10명이 모이는 행사든 수백 명이 모이는 행사든 쉬운 행사란 없다. 특히, 우리 공단은 행사를 잘 치르는데 나름 일가견이 있었기 때문에 노동조합 이전에 공단의 일원인 근로시간면제자들 역시 행사에 대한 부담 아닌 부담이 있었다.

2023년 근로시간면제자 업무분장에 담당자를 지정했지만 2월까지는 그냥 그렇게 시간이 흘러갔다. 당시 담당자의 마음을 대변하자면 마음 한 구석에 커다란 묵은 짐을 하나 끌어안고 사는 기분이었다고 한다. 모든 행사가 그렇지만 생각만 한다고 되는 것은 하나도 없고 결국 몸이 움직여야 한다. 대동제 개최 장소 예약을 시작으로 3월부터 4월까지는 세부실행 계획을 수립했고 담당자인 복지후생실장이 대동제 개최 장소인 천안의 유관순체육관에 행사 계약을 체결하자 사무처장 주도하에 전체적인 밑그림이 그려졌다.

당시 대동제를 어디서 개최할 것인가 여부가 상당한 고민거리였는데 야외에서 할 것인지, 실내에서 할 것인지, 실내에서 한다면 과거와 같이 체육관에서 할 것인지, 아니면 대규모 전시장 같은 장소를 빌릴 것인지 등에 대한 고민이었다. 우리 노동조합의 컨셉과 분위기, 비용 등 여러 가지 가능성을 타진했었는데 결론적으로 가장 전통적인 우리 노동조합만의 분위기를 살릴 수 있는 장소로 결정한 곳이 천안의 '유관순체육관'이었다. 일단 2017년에 한 번 대동제를 개최한 경험이 있는 추억의 장소였으며 계획한 프로그램을 집중도 있게 끌고 가기 위해서는 실외보다는 실내가 적합하다고 판단했다. 행사 당일의 날씨 변수도 고려하자면 실내가 적합했다.

유관순체육관은 천안시설공단에서 관리하는 곳이다 보니 단순히 전화로 신청할 수 있는 곳은 아니었고, 인터넷으로 신청을 해야 했는데 인터넷 신청이 시작되던 날 밤 12시에 근로시간면제자들 뿐만 아니라 사무국장까지 모두 컴퓨터 앞에서 또는 자신의 휴대폰을 붙들고 장소예약 버튼을 누르던 기억이 생생하다. 그렇게 천안은 우리 노동조합에는 역사의 장소가 되고 있었으며 대동제 개최일은 5월 26일로 정해졌다.

다음으로 준비할 것은 전국 1,700 조합원을 천안으로 모으기 위한 방법, 버스대절이었다. 어림잡아도 40~50대의 버스가 필요했는데 이렇게 많은 버스를 예약하는 것 역시 보통 일이 아니었다. 버스 계약은 둘째 치고 참석 조합원 인원 파악이 대동제 개최 몇 일 전까지 많은 품을 들게 했다. 오겠다고 했다가 못 오겠다는 조합원, 못 오겠다고 했다가 다시 오겠다는 조합원은 기본이고, 우리 공단의 특성상 전국 지부에서 비연고 생활을 하는 조합원들이 있는 관계로 모든 조합원들이 출발했던 지부로 다시 복귀하는 것이 아니었다. 그러다 보니 출발버스와 복귀버스에 탑승하는 인원을 하나하나 조율하는 부분까지 세심한 손길이 필요했다. 이런 와중에 자기들은 출발인원이 적으니 고급버스로 대절해달라는 요구, 제주도에서 비행기 타고 오는 조합원들은 어떻게 할지, 심지어 자차를 끌고 오겠다는 조합원들까지, 행사 개최 직전까지도 왜 품이 많이 들었다고 하는지 이해가 될 것이다.

그 다음은 도시락 준비였다. 보통 대동제를 개최하면 지부에서 각 지역의 특색에 맞게 다양한 음식을 준비해서 그 날 하루 준비한 음식을 함께 나누어 먹는 것이 하나의 문화였는데 집행부에서는 이와 별개로 점심도시락을 준비했었다. 1,700명분의 도시락을 준비할 수 있는 업체를 알아보는 것 역시 버스대절만큼이나 어려운 일이다. 무엇보다 5월말이면 날씨가 더워지는 시기인데 상할 우려 없이 안전하게 도시락 공급이 가능한가 여부가 관건이었다.

전국 단위의 대규모 업체부터 지역 업체까지 여러 업체를 검토하던 과정에 우연히 천안의 한 지역 업체가 1,700명분의 도시락을 한 번 준비해보겠다고 긍정적인 의사를 밝혔다. 대동제 개최장소 사전답사를 갔을 때 미리 시식을 했는데 처음 발열도시락을 통해 따뜻한 도시락을 맛보았다. 나름 지역에서 창업해서 열심히 일하는 젊은 대표가 운영하는 업체였는데 군대의 전투식량에 착안을 한 것 같은 발열도시락이었다. 물론 대동제 당일 조합원들의 반응은 뜨거웠고 내·외빈 모두에게서 도시락 잘 먹었다는 이야기가 들려왔다.

사무처장은 전체 일정을 조율했다. 모든 일정을 짜고 상무집행위원의 업무분장을 정리했다. 나머지 근로시간면제자들은 해당 일정에 맞추어 진행해야 할 각자의 업무들을 담당해서 대동제라는 큰 퍼즐의 조각조각을 맞추어 나갔다. 조직실장은 노동의례부터 내외빈 소개, 조합기 입장 등 노동조합 행사다운 행사를 만들어 내기 위해 1부 행사 전체를 담당했다. 정책실장은 기념품제작, 맥주 및 커피 업체 섭외, 심지어 아이스박스 대여, 그리고 당일 중요한 업무였던 외빈 관리까지 여러 번외업무들을 총괄 관리했다.

'과연 이 큰 행사를 할 수 있을까'라는 막연한 두려움과 걱정은 우리의 계획과 행동으로 눈앞에 하나씩 그 실체를 드러내고 있었다. 사무처장은 농담처럼 이런 말을 했다. '우리가 판을 너무 크게 벌인 것 같은데, 이제까지 다 장난이었다고 이야기 하고 잘못했다고 조합원들에게 말할까?' 실제 그랬다. 이제 판은 엄청나게 커져 있었고 돌아갈 길은 없었다. 5월 한 달 동안 매주 상무집행위원회 회의에서는 대동제 계획과 그 날 시나리오에 대한 논의와 토론을 통해 실제 그 장소에 있지는 않지만 모든 그 날의 행사가 물 흐르듯이 진행될 수 있도록 가상의 훈련을 반복했다. 이제 대동제 개최는 초대가수에 대한 궁금함, 장기자랑은 누가 나오는지, 경품은 무엇인지, 그 날의 또 다른 행사는 무엇이 준비되어 있는지 등등 조합원들에게 큰 기대감을 불어넣고 있었다.

여기 이 자리, 함께 하는 우리가 노동조합이다!

한창 대동제 준비를 하고 있던 5월초에 문득 하나 빠진 것이 있다는 생각이 들었다. 바로 대동제의 모토(moto)였다. '이렇게 큰 행사를 하는데 대동제를 한 마디로 표현할 모토가 있어야 하지 않을까'라는 생각이 불현듯 들었다. 가만히 생각해 보니 과거 대동제에도 집행부 기수 특성에 맞는 행사 모토들이 있었다. 부랴부랴 상무집행위원 회의에서 여러 아이디어를 취합했고, 제시된 여러 문구들 가운데 인상적인 단어들을 이렇게 저렇게 조합한 결과, 다음과 같은 모토가 탄생했다.

"함께 하는 우리가 노동조합이다"

거창한 단어가 들어있는 문장은 아니었지만 노동조합이 추구하는 가장 중요한 것, 바로 참여를 통한 우리의 단결된 힘을 드러내 보일 수 있는 느낌의 모토라는 생각이 들었다. 나중에 알게 된 것인데 이 모토는 정말 우연히도 23년 전 1기 집행부의 첫 대자보에 들어간 문구 중의 한 문장과 거의 유사하게 일치했다. 당시 노동조합의 첫 대자보 내용의 일부는 다음과 같았다.

"노동조합은 여러분이 만들어야 합니다. 여러분이 바로 공단의 노동조합입니다. 그리고 이 선택이 훗날 미래 후배들에게 떳떳해질 수 있는 유일한 길입니다."

'여러분이 바로 공단의 노동조합입니다'라는 이 문구를 6기 황추연 전위원장님의 특별기고에서 발견하는 순간 온 몸에 전율이 돋았던 순간을 잊을 수 없다. 23년 전 선배님들의 마음, 그리고 23년 후 후배들의 마음이 '우리가 노동조합'이라는 이 단어로 관통하고 있는데 어떻게 전율하지 않을 수 있겠는가!

이 모토 아래 5월 26일은 대동제 행사가 드디어 눈앞으로 다가왔다. 집행부는 하루 전 날인 5월 25일에 역사의 장소인 유관순체육관에 도착해서 모든 준비사항을 체크하고 저녁 9시까지 1부 행사 리허설을 마쳤다. 그리고 이렇게 준비한 것에 비해 막상 5월

26일 당일은 하루가 어떻게 지나갔을지 모를 정도로 순식간에 지나갔다. 행사시간이 되자 전국에서 새벽부터 출발한 버스에서 밀려드는 조합원들로 행사장은 순식간에 자리를 메웠고 항상 그렇듯이 노동조합에는 연습이 없다. 예정된 시간이 되자 준비한 모든 것들이 한 치의 머뭇거림도 없이 진행되었다. 국기원의 태권도 시범으로 조합원들의 이목을 집중하는 것을 시작으로 딱딱하고 지루한 노동조합 행사가 아니라 짧고 간결하고 임팩트 있는 1부 행사, 이후 치어리더 공연을 시작으로 2부 체육행사가 진행되었다.

대동제 준비과정에서 누군가는 이런 이야기를 했다. '요즘 젊은 친구들, 이런 체육행사 하면 아무도 앞에 안 나오니까 복잡하게 준비하지 말고 간단하게 조합 행사 마치면 지부별로 식사하고 경품 추첨하고 빨리 마치는 것이 좋을 것 같다'라고 말이다. 집행부가 이 이야기를 듣고 과거 대동제처럼 준비했다면 정말 큰 일 날 뻔했다는 생각이 들 정도였다. 이 날 조합원들은 무엇이든 적극적이었다. 팀장 선출, 게임에 나올 조합원, 그리고 장기자랑까지 그 무엇 하나 강요에 의한 것이 없었다. 심지어 행사 종료까지 술 마실 시간이 없을 정도였다.

9기 집행부는 그런 이야기를 많이 했다. '요즘 MZ세대 이야기를 많이 하는데, MZ는 김치 안 먹고 매일 스파게티만 먹나요?' 우리는 그 때 당시 X세대라고 불리던 세대였는데 그 때 우리도 선배들에게 새로운 사고방식을 가지고 있던 세대였다고! MZ라서 그런 것이 아니라 단지 선배들이 지금 자기들 살기가 바빠서 이런 기획와 자리를 만들지 않았던 것이었다, 그 역할을 노동조합이 대신했다. 이 또한 선배들이 함께하는 노동조합이기에 가능한 일이었다.

그렇게 대동제의 그 날은 모토 그대로 끝까지 함께 하는 자리가 이어졌고 이 날 전국에서 모인 조합원들은 우리가 노동조합이라는 사실을 온 몸으로 체감했다. 그리고 단 하나의 안전사고도 없이 대동제는 마무리 되었다. 행사종료 후 여러 이야기들이 집행부에게 들려왔다. 외빈들은 이렇게 큰 행사를 치르는데 어떻게 이 많은 조합원들이 질서정연하게 움직이면서 끝까지 집중도 있게 행사에 참여하는지에 대해 찬사를 보내왔다. 젊은 조합원들은 난생처음 경험하는 대동제가 이렇게 재미있는 행사였냐며 다음이 너무 기대된다는 이야기를 했다. 예전에 술만 마시는 대동제를 생각하고 참석하지 않은 조합원들은 이번이 마지막일 수도 있는데 후회된다는 이야기를 하기도 했다. 또 어떤 사람은 장기자랑에 아무도 지원을 안 할 줄 알았는데 우리 공단에 저렇게 숨은 고수들이 있다는데 깜짝 놀랐다는 이야기도 했다.

무엇보다 공통적으로 9기 집행부에서 이 행사를 참 잘 준비했다는 이야기를 많이 했다. 집행부는 조합원들이 만족하는 것으로 충분했다. 한 편으로는 길고 거칠었던 준비과정을 다시 떠올리는 것이 힘듦으로 기억되는 것이 아니라 오히려 근로시간면제자들의 눈시울을 뜨겁게 만드는 감동으로 다가오기도 한다.

5장
9기 집행부를 마치며

각 장에서 다양한 주제를 대상으로 집행부의 다양한 생각들을 정리했다. 내용 중에는 9기 집행부의 생각들도 있지만 주변 선배님과 후배님들로부터 직간접적으로 입에서 입으로 전해오던 주옥같은 이야기들도 제법 포함된 것 같다. 그리고 한 편으로는 공단 사측의 입장에서는 불편한 이야기도 있었을 것이다. 이제 이 3년의 대단원을 정리하는 마지막 장이다. 항상 그렇지만 시작이 있으면 끝이 있다. 그리고 이것이 끝이 될지 또 다른 시작이 될지는 아무도 알 수 없다.

1. 노동조합이 이끄는 조직문화

앞에서 대동제에 대한 많은 이야기를 했지만 이 행사의 시작은 결국 우리 공단의 조직문화와 관련이 있다고 할 수 있다. 우리가 일하는 일터의 조직문화의 주체가 우리 조합원이 될 것인가, 아니면 3년 잠시 머물다 떠나는 사측의 임원들이 될 것인가, 그것도 아니면 항상 불어오는 외풍에 따를 것인가 하는 문제이다. 당연히 우리 조직문화의 주체는 우리가 되어야 한다. 그러기 위해서 노동조합은 한 번쯤은 조직문화에 바람을 불러일으키는 역할을 해야 했었다.

재미는 없겠지만 학술적인 이야기를 한다면 조직문화의 핵심에는 그 조직의 구성원들 간의 '공유하는 지각(shared perception)'이 있어야 한다. 쉬운 말로 구성원끼리는 언어적으로 또는 생각적으로, 심지어는 느낌적으로 알아챌 수 있는 다 같이 공유하는 그 무엇인가가 있어야 그것을 그 조직의 조직문화라고 할 수 있는 것이다. 우리 공단 전체 조직에서 모두가 공유할 수 있는 조직문화는 무엇일까? 1급, 2급 간부들까지 포괄하는 조직문화에 대해서는 섣불리 이야기를 하지 못하겠다. 한 편으로는 그것이 무엇인지 우리도 잘 모르기 때문에 이야기하기 어려운 것도 있다.

그러나 우리 노동조합으로 그 범위를 한정한다면 분명히 말할 수 있는 것은 '소통'이고 '포용'이다. 우리 노동조합은 매 집행부마다 끊임없이 소통하고자 했고, 이 소통은 지부장회의에서, 그리고 조합원들과의 대화에서 끊기지 않는 주제였다. 조합원들은 더 알고 싶어 했으며 더 이야기하고 싶어 했다. 그리고 집행부는 어떻게 알려주고 어떻게 들어야 할지에 대한 고민이 있었다.

또 다른 조직문화는 포용이라고 생각한다. 우리는 가르고 분리하는 노동조합이 아니라 끌어안고 이해하는 노동조합이다. 과거 우리 노동조합 선배들이 지나온 길은 분명 포용의 역사를 말하고 있다. 어떤 단사는 위원장 선거 결과에 따라 조합원들을 구분 짓고 반대 세력을 배척하고 심지어 척결하기도 한다. 우리 노동조합은 설사 선거과정에서 뜻을 달리하더라도 반대세력을 끌어안고 함께 가고자 하는 길을 선택해 왔다. 그 결과, 지금도 역대 집행부 선후배들은 나름의 관계를 이어오고 있고 노동조합을 했다는 것은 하나의 공통된 연결고리를 만들어주고 있다. 전국 지부의 조합원들은 동서 간에, 남북 간에(여기서 남북이란, 영호남-대전권 이상의 지역을 말한다), 남녀 간에 어떤 세력적인 갈등이 없다. 99%에 육박하는 노동조합 가입률은 다른 어떤 단사가 보더라도 부러워할만한 우리 노동조합의 단결력을 보여주는 수치이다.

이런 노동조합의 조직문화를 다시 한 번 일깨우기 위해, 그리고 우리의 조직문화가 무엇인지에 대한 이야기를 이어나기 위한 하나의 방법이 바로 대동제이다. 결국, 우리는 이 행사를 통해 우리가 누구인지, 우리는 어디에 소속되어 있는지, 그리고 우리가 소속된 조직의 분위기와 문화는 무엇인지에 대해 생각해 볼 수 있기 때문이다. 6년 만에 개최된 대동제는 우리 조합원과 함께 이런 이야기를 다시 시작할 수 있는 계기가 되었다. 대동제가 끝나고 몇 달이 지났지만 여전히 이 이야기는 재미있는 이야기이며 전국 어디를 가더라도 공통적으로 할 수 있는 이야기이다. 심지어 참석하지 않은 조합원들도 과거 자신의 경험을 다시 회상할 수 있으며 또 참석하지 못한 조합원들에게는 다음에는 꼭 참석해야겠다는 동기를 만들어주기 때문이다. 그렇게 대동제는 우리 노동조합 조직문화로 여전히 진행 중이다.

2. 다음 근로시간면제자는 누가 하는가?

누군가 '근로시간면제자를 다시 할 생각이 있는가?'라고 물어본다면 어떻게 대답을 해야 할까? 한 가지 사실은 그 동안 대다수의 노동조합 선배님들이 고개를 절레절레 흔드는 것을 많이 봐왔다는 점이다. 왜 그럴까? 정말 그렇게 힘들고 어려운 일일까? 물론 쉬운 일이 아니라는 것은 분명하다. 근로시간면제자들은 매일이 결정의 연속이며 다양한 회의와 행사, 그리고 이후의 술자리까지 생각해 본다면 정신과 체력을 요하는 일이기도 하다. 자신에게 필요한(또는 유리한) 요구만 하는 조합원, 어떤 상황에 대한 이해를 구해도 더 이상 대화가 안 되는 조합원과 같은 나름의 민원 스트레스도 여기에 한 몫 할 것이다. 한 편으로는 지금 이 자리를 지키고 있는 근로시간면제자에 대한 충분한 보상으로 업무에 대한 의미와 보람을 부여하고 있는지에 대한 고민이 부족했다는 점도 영향이 있을 것이다.

누군가는 해야 하기 때문에 이 역할을 하고 있지만 단지 그 시간이 끝나기만을 기다렸다고 한다면 분명히 어떤 문제가 있는 것이다. 최근 근로시간면제자 섭외 과정을 보면 승진을 염두에 두고 있는 조합원들은 아예 근로시간면제자를 하려고 하지 않는다. 4급에서 3급으로 승진할 조합원, 3급에서 2급으로 승진할 조합원 모두에게 해당되는 말이다. 보통 이 정도 나이와 직급에 해당되는 사람들이 근로시간면제자를 한 번 해 볼법한 사람들인데 승진에 발목이 잡혀 관심을 끊어버린다면 도대체 누가 해야 할까?

기왕 승진에 대한 이야기가 나온 김에 조금 더 자세한 이야기를 해보자. 근로시간면제자에게 가장 가혹한 부분을 들자면 승진 이야기를 빼 놓을 수 없다. 직접적으로 물어보자. '근로시간면제자는 노동조합 업무를 마치고 승진을 하면 안 되는 것인가?' 민감한 주제이지만 다 같이 생각해 볼만한 주제이다. 사측에 서 있는 사람들은 어떠한가? 경영기획부서, 인사부서, 감사부서의 사람들은 공통적으로 고속 승진을 해 왔다. 경영평가 결과가 어떻게 나오든, 조직에 성희롱, 괴롭힘, 갑질이 몇 건을 발생하든, 때로는 내부청렴도가 어떻든 상관없이 그 자리는 승진을 따 놓은 자리마냥 승진을 해 왔다. 그들이 하는 말은 항상 똑같다. 고생하는 자리라는 것이다. 지금은 고생하는 것이 중요한 시대가 아니라 결과도 좋아야 하는 시대 아닌가? 그리고 도대체 그 고생의 의미를 왜 스스로가 부여하는 것인가? 고생은 구성원들의 인정이 따라야 의미가 있는 것 아닌가?

이런 사측 사람들의 승진은 구성원들에게 어떤 시그널을 주고 있었을까? 사측의 저런 자리에 대한 제의를 받는 사람의 경우에는 진짜 마지못해 받아들이는 것인지, 속으로 '얼씨구나' 쾌재를 부르며 받아들이는 것인지는 알 수 없지만 분명 거절하는 사람보다는 제의를 받아들이는 사람이 더 많다. 이런 자리를 비워 둘리도 만무하지만 심지어 지난 몇 년간 확장되어 왔으니까 말이다. 자리를 수락하는 사람의 입장을 정확히 대변할 수는 없지만 분명 고생스러운 자리이지만 한편으로는 달콤하고 확실한 보상도 있을 수 있다는 것 정도는 알고 있는 듯하다.

반면 노동조합은 어떠한가? 사측의 사람들이 스스로 열심히 했다고는 하나 아무 의미 없는 결과들(경영평가 D, 감사평가 D, 각종 성희롱 및 갑질, 괴롭힘 사건 등)은 결국 조합원의 임금저하와 노동조건 저하로 직결된다. 이런 부분에 대해 강하게 문제를 제기하고 조직이 다시 정상적으로 기능할 수 있도록 구성원 누구도 하지 못하는 부분을 근로시간면제자들은 이야기한다. 때로는 사측에게 불이익한 대우를 받은 개인을 구제하기 위해 모든 것을 제쳐두고 개인의 입장을 대변하기도 한다. 정부에서 공단 조직 개편과 인력조정을 요구할 때 사측의 사람들은 시키는 일만 할 뿐인데 노동조합은 우리 조직을 보호하는 목소리를 일관되게 내어 왔다.

이런 노동조합에 왜 승진이라는 부분에 있어서 조합원들은 더 높은 기준을 요구하는가? 그리고 그런 기준을 요구하는 것이 과연 타당한 일인가? 혹자는 '노동조합이 사측의 고유한 인사권에 해당하는 승진에 얽매이면 어용노조임을 스스로 인정하는 것이기 때문에 피 같은 내 조합비를 내고 절대 그 꼴은 볼 수 없다'라는 이야기를 할 수도 있다. 노동조합이 어용노조인지 여부는 남이 하는 이야기를 듣고 판단하지 말고 그 동안 노동조합이 어떻게 해 왔는지를 직접 보고, 직접 참여해보고, 그 후에 판단하라고 이야기 하고 싶다. 앞에서 많은 것들을 기술했으니 더 이상의 설명은 필요하지 않을 것 같다.

　분명한 것은 같은 동기로 입사를 했더라도 사측의 라인을 밟은 동기들은 노동조합의 라인을 밟은 사람들보다 승진이 빠르다. 조직 생활에서 승진이 가장 큰 보상 중 하나인데 여기서 차이가 난다면 누가 노동조합을 하겠는가? 노동조합을 할 사람이 없다는 것은 하고 싶은 자리가 아니라는 것을 의미한다. 그러나 이것은 노동조합 운영에 있어 중요한 실수를 하는 계기가 될 수 있다. 즉, 역량은 없고 개인적인 탐욕을 가진 사람이 결국은 아무도 하기 싫어하지만 사실은 너무도 중요한 자리를 맡게 되는 실수 말이다.

　노동조합의 전문성과 역량에 대한 이야기도 하고 싶다. 이 문제는 노동조합의 운영에 있어서 많은 것들과 연관이 되는데 지금 노동조합은 무작정 칼 빼들고 싸움만 잘하는 것이 능사가 아니다. 회사를 상대하려면 공단의 다양한 업무에 대한 기본적인 이해도가 있어야 하며 때로는 칼을 빼들 때와 논리로 싸울 때를 잘 구분할 줄도 알아야 한다. 적절히 회사에 동조할 때도 알아야 하며 때로는 강경한 입장을 고수해야 할 때도 있다는 것이다. 즉, 노동조합 업무도 전문성이 있어야 한다. 위에서 말한 노동조합에 대한 가혹한 기준은 결국 우리 조합원들 입장에서는 '어용노조는 안 된다'라는 단 하나를 제외하고는 실제로 얻을 것이 없다. 조직생활을 하는데 있어 승진도 안 되는 조직에 누가 헌신을 하겠는가? 결국은 승진할 수 없는 또는 승진할 필요도 없는 가장 무능한 사람에게 노동조합을 맡기는 최악의 상황이 벌어지지 않는다고 누가 확신할 수 있는가?

근로시간면제자를 마치고 언제가 되든 승진을 하게 된다면 그 사람이 근로시간면제자를 어떻게 했는지를 조합원들이 판단하면 된다. 이것이 문제가 된다면 이 문제를 개선할 수 있는 사람이 정책 공약을 걸고 위원장 선거에 출마하면 될 일이다. 단순히 '나도 승진 안 되는데 너 승진하는 꼴은 못 보겠다'는 식의 문제제기는 노동조합을 나락으로 빠뜨리는 악순환의 연속일 뿐이다.

결국 다음 근로시간면제자는 누가 하느냐에 대한 문제는 우리 조합원들의 몫이다. 노동조합 일을 할 수 있는 어떤 환경을 만들어 주느냐가 우수한 조합원들을 회사의 손발로 만들 것 인지 아니면 주체적인 노동자로서 1,700 조합원을 대표하는 노동조합 생활을 해보겠다고 서로 나서는 선순환을 만들 수 있을 것인지 결정하는 중요한 요인이 될 것이다. 최소한 노동조합 활동이 개인에게 손해가 되어서는 안 될 것이다.

3. 지난 3년의 소회

6명의 근로시간면제자가 첫 워크숍을 할 때가 엊그저께 같은데 3년 이라는 시간이 지나갔다. 공단에서 직장생활을 하며 어떤 때는 편하고 쉬운 일을 맡은 적도 있었고 어떤 때는 누구도 하기 싫어하는 일을 맡아서 괴로운 적도 있었을 것이다. 시간의 속도는 모두에게 다르게 느껴지겠지만 아마도 근로시간면제자를 역임한 사람들이라면 공통적으로 3년의 시간이 다른 어떤 때보다 쏜살같이 지나갔다고 느낄 것이다. 하루가, 한 달이, 그리고 한 해가 어떻게 지나가는지 모를 정도였으니까 말이다.

이 책을 마무리 하는 시점에서 한 가지 희망적인 이야기를 하자면 다음 근로시간면제자를 누가 할지에 대해서 2명이 이미 정해졌다. 그 사이에 10기 노동조합 위원장 선거가 있었고 9기 집행부를 이끌었던 2명의 선출직인 황동준 위원장과 김경우 사무처장이 다시 한 번 10기 집행부를 이끌어 보겠다는 결심을 하고 선거에 출마했기 때문이다. 결과는 84.2%라는 조합원의 압도적인 지지율로 두 후보는 재선에 성공했다. 단선에 재선이라는 조건을 생각하면 상당히 높은 지지율이다. 9기 집행부에 대한 평가이고 10기 집행부에 대한 우리 조합원의 기대가 반영된 선거결과이다. 이 모든 것을 마무리하는 동시에 새롭게 시작해야 할 지금, 9기 노동조합을 이끌었던 두 명의 후보는 지난 3년을 어떻게 생각하고 있을까?

(황동준 위원장)

" '내 삶의 힘이 되는 노동조합'이라는 기치를 걸고 출범한 한국산업안전보건공단 노동조합 9기 집행부가 3년의 임기를 마무리할 시점이 다가온 것 같습니다. 김경우 사무처장과 함께 2020년 말 선거를 치루고 9기 집행부를 준비하던 시간들, 그리고 근로시간면제자들, 상무집행위원들과 함께 정신없이 달려왔던 3년이 주마등처럼 스쳐 지나갑니다. 7기 집행부에서 근로시간면제자(1년)과 8기 집행부에서 수석부위원장(3년)을 하면서 누구보다 위원장직을 잘

할 수 있으리라는 자신감이 있었고, 정말 잘 하고 싶었습니다. 하지만 노동조합 위원장이라는 직책의 무게는 제가 생각했던 것 이상이었습니다.

많은 성과도 있었지만 미흡한 점도 많았고 후회되는 선택도 있었던 것 같습니다. 솔직히 고백하자면 중도에 위원장직을 내려놓고 싶다는 생각도 여러 번 했었습니다. 그럼에도 이렇게 무사히 3년의 임기를 무사히 마칠 수 있었던 것은 누구보다 저에게 힘이 되어주었던 김경우 사무처장과 함께 했던 근로시간면제자들 덕분이라고 생각합니다. 지면을 빌어서 다시 한 번 감사의 마음을 전하고 싶습니다.

'집행부를 하면서 치열하게 했던 고민들과 노사관계의 각종 현안들은 막상 세월이 지나면 별로 생각나지 않는다. 다만 남는 것은 그 때 함께 고민하고 정을 나누었던 동지들이다'라며 항상 노동조합 선배님들이 하는 이야기가 있습니다. 이제 저도 어느덧 우리 공단에서는 노동조합 생활을 가장 오래한 사람으로 기록이 됩니다. 그리고 선배들의 이야기들에 100% 공감하며 노동조합 생활을 하는 후배들에게 그 이야기들을 들려주고 있습니다.

지난 3년 동안 노동조합에 그리고 공단에 많은 일이 있었고 지금 이 순간도 역사에 기록될 많은 일이 진행되고 있습니다. 보통 집행부 임기를 마치면 조합원들을 대상으로 3년의 활동들을 보고서 형태로 제작하고 배포합니다(활동보고서). 집행부에서는 심혈을 기울여서 작성하지만 자세히 읽어보는 조합원들이 많지는 않았던 것 같습니다. 그런 와중에 김경우 사무처장으로부터 백서 형태의 활동보고서 보다 우리 노동조합의 역사와 9기 집행부의 활동들을 엮은 책을 시중에 출판해보자는 제안을 받았습니다. 한 번도 출판 경험이 없는 저로써는 조금은 막연하기도 하였습니다. 그러나 우리 노동조합의 활동을 떠올리며 한 줄 한 줄 글을 써가는 과정이 참으로 의미 있는 시간이었습니다. 그리고 좋은 책을 써보고 싶다는 욕심도 생겼습니다. 전문 작가가 아니기에 부족한 부분이 많지만 제 인생 처음으로 책을 출판했다는 사실 하나만으로도 무한한 보람을 느끼고 있습니다. 노동조합의 기회는 김경우 사무처장에게 제가 제안했지만 노동조합의 역사를 책으로 출판할 수 있는 좋은 기회를 제안해준 김경우 사무처장에게 다시 한 번 감사의 마음을 전하고 싶습니다.

이제 9기 집행부에서의 아쉬움은 뒤로 하고 못다 한 과제는 10기 집행부의 과제로 넘기고자 합니다. 그리고 노동조합의 발전과 조합원 행복을 위해 다시 한 번 3년의 대항해를 출발하려고 합니다. 그 3년을 무사히 마치고 지금처럼 3년의 역사를 다시 적어 내려갈 수 있는 시간을 기대해 봅니다. 마지막으로 어려운 환경 속에서도 9기 집행부와 함께 하신 운영위원님, 지부장님 및 일선 조합 간부님들께 수고하셨다는 말씀과 함께 특별한 감사의 마음을 전합니다. 또한 언제나 묵묵히 집행부를 응원해주신 우리 노동조합의 주인인 조합원 여러분들께도 무한한 감사의 말씀을 전하며 이 책을 제 삶에 힘이 되어준 우리 조합원들을 위해 바치겠습니다. 자랑스러운 한국산업안전보건공단 노동조합 위원장이었다는 것은 행복이자 무한한 영광이었습니다. 진심으로 감사했습니다."

(김경우 사무처장)

"처음 근로시간면제자를 제안 받고 고민하던 때가 엊그제께 같습니다. 그리고 사측과 마주앉아 처음으로 업무협의를 하던 때도 생생히 기억납니다. 어떤 때는 잘 알고 있는 간부라 할지라도 노동조합의 이름으로 노동조합의 명분과 조합원을 위하는 일이라면 상대에게 마음의 상처가 될 수도 있는 이야기를 한 적도 있습니다. 하나하나 따져보면 쉽지 않은 일들이었고 아무도 하고 싶어 하지 않는 일이기도 합니다.

누가 저에게 '이 일을 왜 하고 있냐'고 물어본다면 할 사람이 없어서 하고 있다는 이야기는 절대 하고 싶지 않습니다. 분명 이일이 주는 의미와 보람이 있습니다. 무엇보다 내가 일하는 직장이고 이 직장 덕분에 우리 가족이 함께 생활하고 있으며, 심지어 일을 통해 삶의 보람을 느낄 수도 있는 나의 직장을 지키는데 이것보다 중요하고 의미 있는 일이 어디 있겠습니까? 누군가 저렇게 물어본다면 '아무도 대신해 주지 않는다'는 이야기를 꼭 해주고 싶습니다. 누군가 나서야 한다면, 그리고 내가 조합원이라면 소중한 나의 직장을 위해서 누구든지 나설 수 있는 준비가 되어 있어야 한다고 이야기 하고 싶습니다.

올 해 9월 즘으로 기억이 됩니다. 서울에서 조합원들과의 만남 도중에 9기 집행부가 이제 끝나간다는 말을 처음으로 꺼내면서 마음속에서 부터 '울컥'하는 기분이 들어 눈시울이 붉어졌던 생각이 납니다. 9기 집행부 3년 동안 많이 웃기도 했고 때로는 뜨거운 눈

물을 흘리기도 했습니다. 그리고 10기 집행부 3년을 다시 해 보겠다는 이야기를 했을 때 많은 사람들이 '고생한다'는 이야기를 했습니다. 고생요? 아니요. 저는 재미있게 할 겁니다. 모두가 부러워하게 아주 신나고 재미있게 할 것이라는 이야기를 드리겠습니다!

9기 집행부 3년 옆에서 도와주고 응원해준 전국의 조합원 여러분, 정말 감사합니다. 그리고 바로 옆에서 함께 해준 근로시간면제자들에게도 다시 한 번 감사의 마음을 전합니다. 우리가 공단에 다니는 동안 전국 어디에 있든지 다시 만나게 될 것이고 그 때마다 함께 노동조합을 했다는 사실은 끈끈한 연결고리가 되어 우리를 지탱해 줄 것입니다. 투쟁!"

'내 삶의 힘이 되는 노동조합'이라는 기치를 걸고 출범한 한국산업안전보건공단 노동조합 9기 집행부의 이야기는 여기까지이다. 물론 끝이 아니다. 지나 온 시간보다 더 많은 시간을 우리 노동조합이 대한민국 산재예방 사업과 노동자, 그리고 공단을 지킬 것이기 때문이다. 노동조합은 그 어떤 조직보다 단단하니까 말이다. 끝.

* 이 책의 판매수익금은 우리 노동조합의 발전을 위해 사용하겠습니다.
* 이 책에서 언급된 내용은 우리 노동조합의 입장에서 기술된 것이며 공단의 공식적인 입장이 아님을 참고하시기 바랍니다.

부록 그 때의 노동조합

* 노동조합 신문 바람터(2023년 특별기고)의 역대 위원장 선배님들의
  당시 노동조합 이야기를 부록으로 실었습니다.

그 때의 노동조합(1)
"따뜻한 봄을 되찾기 위한 준비"

김용선(4기, 5기 위원장)

 현 정부의 공공기관과 노동조합에 대한 탄압이 점차 거세지고 있
습니다. 제가 위원장으로 활동하던 2008년 역시 공공기관과 노동
조합에게는 매서운 겨울이었습니다. 당시 이명박(MB) 정부는 공공
기관 선진화계획을 통해 공공기관 정원의 10%를 일괄 감축하고,
임금 동결, 신규직원 임금을 삭감하는 만행을 저질렀습니다. 우리
공단 또한 인력 감축으로 인한 피해를 입었습니다. 그래서 공단에
는 2008년, 2009년 입사자가 없습니다. 기존 직원을 보호하기 위
해 채용을 중단하고 퇴사자 등 자연감소분으로 정원을 감축했기
때문입니다. 또한 삭감된 신규직원들의 임금을 기존으로 돌리기 위
해 수년간 전체 직원들의 임금인상재원을 사용해야만 했습니다.
 당시 정부는 임금체계 개편을 통해 전 직급 성과연봉제 도입(호
봉제 폐지) 및 성과에 따른 직원 간 임금 격차 확대를 요구했습니
다. 이러한 요구에 대해 노동조합은 공단의 사업은 성과를 측정하
기에 적절치 않으며 직원 간 평가를 위한 행정과 경쟁이 늘어나

노동조건을 악화시킬 것이라 맞섰습니다. 특히 호봉제 폐지는 법으로 보장된 임금인상분을 포기하는 행위이며 장기적으로 조합원의 임금 저하를 가져올 수 있는 불이익 변경에 해당된다고 판단하였습니다. 이에 정부의 부당한 임금체계 개편에 대해 양대 노총 및 타 공공기관과 연대하여 투쟁한 결과 호봉제를 사수할 수 있었습니다.

대외적으로는 공공기관 기능의 민간 이양, 기능 통폐합 등을 이유로 공단의 사업을 민영화하거나 근로복지공단과 통합 또는 지자체에 산재예방사업을 이양하려는 움직임이 있었습니다. 이에 노동조합은 국회를 통해 정부의 산재예방 기능이양의 위험성과 안전보건업무의 지방 이양 시 발생할 문제점을 알리기 위해 노·사, 시민단체, 학계가 참여하는 공청회를 개최했습니다. 전문가들은 산재예방업무는 지자체에서 수행하는 것 보다 공단에서 수행하는 것이 정책실행의 일관성 및 전문성 등에서 효과적이며, 산재예방과 보상을 통합하더라도 각 기관의 조직을 감축하거나 효율성을 높이기 어렵기 때문에 기능 통폐합이 적절하지 않다는 의견이 많았습니다. 대외적인 여론을 형성하고 이슈화 한 결과 정부의 산재예방업무 지방이양계획은 철회되었습니다.

윤석열 정부는 지난 해 말 공공기관의 기능조정 및 조직, 인력 효율화를 하겠다고 발표했습니다. 공공부분 인력 12,000여명을 감축하고 직무급을 도입하여 호봉인상분을 없애려는 시도를 하고 있습니다. 그리고 아직 가시화 되지는 않지만 조직 통폐합, 기능조정, 민영화의 이야기도 나오게 될 것입니다. 다시 위기의 시기가 다가

오는 것이지요. 그러나 15년 전보다 우리 노동조합은 강해졌습니다. 조합원 수도 두 배 가까이 늘어났고 근로시간면제자도 많아졌습니다. 노동조합 위원장 출신의 국회의원도 배출하였고 산업재해에 대한 사회적 관심이 높아지면서 대외적인 활동을 전개하기 좋은 분위기가 형성되었습니다. 다시 겨울이 찾아왔지만 충분히 이겨낼 역량과 분위기가 갖춰진 것입니다.

이 겨울을 이겨내고 따뜻한 봄을 되찾으려면 어떻게 해야 할까요? 저는 그 해답을 연대에서 찾습니다. 공공기관의 노사관계는 정부로 인한 갈등이 많습니다. 노사의 대결이 아닌 사회적 대응을 해야 하며 사회적 이슈로 만들기 위한 연대가 필요합니다. 산재예방 분야의 구조조정, 기능이양의 부당함을 설명하고 사회적 여론을 만들기 위한 활동에 노동조합이 적극적으로 움직여야 합니다. 한편 임금 등 불이익한 노동조건 변경요구에 대해서는 양대노총을 중심으로 전 공공기관이 연대하여 투쟁을 전개해 나가야 합니다. 사용자가 임금의 실질적 결정권이 없다면 노동조합의 교섭권 위임을 통해 정부와 노총이 교섭을 하도록 하는 방안도 고민할 필요가 있습니다.

개개인은 힘이 없지만 노동자의 연대는 큰 힘을 낼 수 있습니다. 15년 전 어려움을 이겨내는 과정에서도 조합원간의, 상급단체와의, 그리고 다양한 사회단체와의 연대가 있었습니다. '과거는 미래를 비추는 거울'이라 했습니다. 특히, 윤석열 정부의 행보가 과거 MB 정부의 정책과 유사하다는 점에서 지난 과거를 돌아보며 다시 따뜻한 봄을 되찾기 위한 준비를 할 시기입니다.

그 때의 노동조합(2)

"노동조합 출범과 초창기 역사를 돌아보다"

황추연(1기, 2기 집행부, 6기 위원장)

[#1 시작하며] 바람터 소식지에 '그 때의 노동조합' 코너를 신설하고 첫 회는 김용선 前위원장님께서 소식을 전했습니다. 이번에는 저에게 연락이 와서 기왕 역사를 돌아본 김에 초창기의 노조활동은 어떠했는지, 그 내용을 전하는 것도 나름 의미가 있겠다 싶어 글의 방향을 23년 전으로 돌려봅니다.

[#2 설립취지문] "지성과 인격을 갖춘 한국산업안전공단 노동자로서 민주적이고 합법적인 노동현장을 보장받음과 아울러 미래 지향적인 삶을 추구하는 인간의 기본적인 목표를 실현하기 위하여 다음과 같이 노동조합을 설립하고자 합니다." 2000년 10월 17일자 우리 공단 노동조합 설립취지문은 첫 문장을 이렇게 시작했습니다. 당시 노동조합이 없다보니, 사측의 일방적인 의사결정에 불만이 있어도 의견을 강력하게 제기할 통로가 없었습니다. 물론 당시 직원협의회가 노동조합의 역할을 대신하긴 하였으나, 그 몫에 한계가 있었죠. 98년에 불어닥친 구조조정 여파로 직원들이 억울하게 생존권을 박탈당했고, 이후에 퇴직금 문제, 학자금보조 문제, 해외연수 문제, 연월차 문제, 하계휴가 문제, 각종 성과급 문제 등 산적한 문제들이 갈수록 증폭되고 있는 상황에 직면해 있었습니다. 따라서 더 이상 우리 스스로의

권리를 방관할 수 없다는 절박함이 노동조합의 태동을 이끌어냈습니다. 2000년 10월 16일 저녁, 송내역 인근 음식점에 34명의 발기인이 모였습니다. 이날 노동조합 발기인 대회에서 규약을 통과시키고, 조직을 이끌어나갈 임원을 선출했죠. 그리고 지체 없이 다음날(17일, 노동조합 창립 기념일) 인천 부평구청에 설립신고서를 제출하고, 설립취지문을 작성해서 전체 직원들을 대상으로 노조 가입원서를 받기 시작했습니다. 이후 팩스를 통해서 쏟아진 가입원서가 폭증했고, 그 숫자가 1주일 만에 약 7백명대에 이르러 흔들리지 않은 노동조합의 견고한 초석이 마련된 것이지요.

[#3 첫 대자보] "참으로 오랫동안 우리는 알 수 없는 형체에 억눌려 제대로 하고 싶은 말도, 해야 할 말도 하지 않은 채, 아니 하지 못한 채, 푸념이나 한숨에 날려버리려 애쓰며 살아왔습니다." 노동조합이 출범하면서 부착한 첫 대자보의 글귀는 당시의 답답한 현실을 고스란히 담고 있습니다. 하지만 민주적, 상식적 의사소통(노사관계)을 통해서 우리의 권리를 당당하게 주장하고 관철하려는 노력이 필요했기에 마지막 글귀는 이랬습니다. "노동조합은 여러분이 만들어야 합니다. 여러분이 바로 공단의 노동조합입니다. 그리고 이 선택이 훗날 미래 후배들에게 떳떳해질 수 있는 유일한 길입니다."라고 호소했던 23년 전, 그 때를 기억하는 분들 있으실 겁니다.

[#4 노동조합 1기] 노동조합 1기의 역사를 한마디로 표현하면 '무에서 유를 만들었다'고 말할 수 있습니다. 한국노총 전국연합노련을 상급단체로 가입한 것을 필두로 집행부 구성(8개 사업부서)을

완료하는 데 걸린 시간은 사흘. 그리고 본부, 연구원, 교육원, 17개 산하기관별로 대의원 선출대회를 개최하여 우리 노동조합 최고의 결기구인 총 72명의 대의원을 선출함으로써 11월 초에 집행부와 전국 조직망을 구축하기에 이릅니다. 이처럼 초창기 노조의 행보는 '속전속결, 일사천리'라는 단어가 딱 맞게 분주하게 돌아갔죠. 노동조합의 기틀을 하루빨리 다지지 않으면, 공든 탑이 무너질까 우려가 컸던 까닭도 있었습니다. 1기 집행부는 뭐든 처음이었습니다. 처음으로 규약을 만들고, 떨리는 마음으로 대자보와 성명서를 부착하고, 단체협약을 요구하고, 노사가 동등하게 테이블에 마주앉아 교섭을 처음으로 시작해봤습니다. 노동가요를 배우고, 율동을 따라 해보고, 머리띠를 묶고 단결 투쟁을 통하여 우리 스스로의 권리주장을 능숙하지는 않았지만, 처음으로 시작했던 때였습니다. 최근에 열린 대동제도 그 역사를 거슬러 올라가면, 1년에 한번 정도는 전체 조합원이 모여서 단결된 모습을 보여야 힘(쪽수의 힘)이 생긴다고 판단하여 2001년도 3월에 처음 시작한 우리 노조 최대 규모의 행사입니다.

[#5 노동조합 2기] 노동조합 1기가 기틀을 잡았다면, 노동조합 2기는 내실을 기하는 집행부였습니다. 조합원의 권익증진에 역량을 집중했습니다. 당시 화두는 '근로조건 저하 없는 주5일제'였습니다. 주6일 근무가 주5일 근무로 바뀌는 시기였죠. 노사협의를 통해서 주5일제를 안착시키고, 조합원들의 복지향상을 위하여 선택적 복지제도(지금의 복지카드)를 도입했습니다. 조직 차원에서는 지부 조직을 재정비하고, 지부간담회를 정례화 시켰습니다. 그리고 클린

사업이 맨 처음 도입되었던 때이기도 했습니다. 그래서 노동조건 악화 방지를 위하여 준법투쟁, 철야농성, 조합원 상경투쟁 등 강력한 투쟁활동을 전개하기도 했습니다. 특히 당시 낙하산 인사 저지 투쟁은 노사가 격렬하게 부딪혔던 사안이었습니다. 탄원서도 제출하고, 매일 아침 출근저지 투쟁을 벌였고, 처음으로 본사(당시 인천) 앞에서 대오를 형성한 상태에서 서로 몸싸움을 하면서 힘겨루기를 했던 투쟁도 했었습니다.

[#6 마무리] 노동조합 초창기 역사를 한정된 지면에 다 쏟아놓을 순 없어서 아쉬움이 남습니다. 다만 민주적 기치를 내걸었던 우리 노동조합의 초심이 해를 거듭하고 기수가 바뀌어도 변하지 않고 그 시대, 그 시기의 담론을 담아서 발전을 거듭하기를 진심으로 바랍니다. '새는 좌우의 날개로 난다(저자 이영희)' 노동조합을 대하는 정부의 균형추가 기울어서 그런지 그 의미가 더 선명해 집니다. 내부적으로는 조합원들의 권익보호와 대외적으로는 사회적 연대를 위해서도 좌우의 날개가 건전하게 기능할 수 있도록 노동조합의 고군분투를 기대합니다.

그 때의 노동조합(3)

"참여로 희망을, 단결로 미래를"

김인우(6기 사무처장, 7기 위원장)

　23년 가을의 시작을 알리는 9월 초순 노동조합 사무처장으로부터 지난 6, 7기 노동조합 활동 당시의 이야기들을 바람터에 실었으면 한다는 이야기를 듣고 2012년부터 2017년까지의 지난날 들을 한참 동안 회상해 보았습니다.

[#6기 사무처장으로 노동조합을 시작하며] 황추연 위원장과 김호주 수석부위원장이 6기 위원장 선거 출마를 준비할 때였습니다. 당시 부산지역본부지부 지부장이었던 저에게 조합원 권익 보호와 공단의 발전, 그리고 무엇보다 후배들에게 떳떳한 노동조합을 만들어 보자며 근로시간면제자(사무처장)를 제의했던 2011년 늦가을 해운대 백사장에서의 술자리가 그 시작이었습니다. 6기 위원장 선거는 노동조합 역사상 가장 치열한(총 4팀의 후보 출마, 경선에 경선을 진행) 선거였으며, 결과는 황추연 위원장의 당선이었습니다. 어엿한 공단 조직의 한 축인 6기 노동조합 상무집행위원을 구성했고 이후 상무집행위원을 비롯한 조합원 각계각층의 의견을 청취하고 사측과 협의 과정에서 노동조합의 의견이 반영될 수 있도록 끊임없이 노력한 3년이었습니다. 특히, 무조건적인 요구와 주장보다

는 합리적인 대안을 만드는 과정이 힘들었던 기억이 납니다. 그 과정에서 장봉두 조직국장과 상무집행위원들이 노동조합 사무실에서 치열한 논쟁을 하던 장면들이 아직도 눈에 선합니다.

[#6기 집행부가 무슨 활동을 했는지 생각해 보면] 부장 및 차장대우 수당 신설, 바우처(현 복지카드)제도, 퇴직연금 도입, 전보마일리지 제도, 미사용 휴가 이월제도, 물량축소를 위한 노사대토론회, 근무복 개선, 전 직원 운전자보험 가입 등 다양한 활동을 했습니다. 하지만 무엇보다 당시(2014년) 울산 혁신도시 이전으로 인해 수백 명의 조합원들이 가족과 떨어져 생활해야 하는 안타까운 현실 속에서 비연고 축소 및 울산 내 정주여건 확보 문제가 가장 힘들었던 것 같습니다. 어린 자녀와 떨어져야 하고 배우자와는 주말부부를 해야 하며, 노부모도 부양해야 하는 이런 어려움 속에서 특정인의 고충만을 들어줄 수 없기 때문에 노사 고충처리위원회를 통해 조합원의 아픔을 최소화하려고 했지만, 욕심만큼 되지 않아 안타까움이 남았습니다. 울산 이전 10년 차에 접어든 지금도 그때만큼은 아니지만 여전히 비연고 근무 문제는 노사가 함께 풀어야 할 숙제로 남아 있는 것 같습니다.

[#7기 노동조합을 태동시키면서] 6기 집행부에서 이루지 못한 정책적 아쉬움과 다시 한번 기회가 주어진다면 더 잘할 수 있다는 자신감과 열정은 이진원 수석부위원장과 함께 7기 노동조합 선거에 도전할 수 있는 동기가 되었습니다. 전국 지부를 순회하며 유세를 하였고 노동조합 최초로 전체 조합원이 한자리에 모인 정기총회에서 위원장 선거를 진행했고 당선이 되었습니다. 하지만, 선거

결과에 대한 상대 후보의 이의제기와 소송으로 노동조합은 역대 최초로 3개월간의 비상대책위원 체계에 돌입하기도 했던 시기를 겪기도 했습니다. 이런 상황 속에서 재출마에 대한 스스로의 고민, 그리고 다양한 주변의 의견들이 있었습니다. 그러나 7기 집행부의 일원으로써 노동조합을 위해 열심히 일하겠다는 남정철 사무처장, 문병두 조직국장, 그리고 7기 상무집행위원들의 지지는 큰 힘이 되었고 다시 한 번 전국 지부를 순회하는 거친 유세 일정을 소화할 수 있게 해주었습니다. 그렇게 2015년에 치러진 두 번째 7기 위원장 선거 결과는 재당선이었습니다. 이런 우여곡절 끝에 7기 노동조합은 본격적인 활동을 시작하게 되었습니다.

[#7기 노동조합을 하면서] 다시 주어진 3년 역시 길지 않은 기간이었지만 누구보다 많은 일을 해보겠다는 열정으로 노동조합비 인하, 3급 승진시험 자격제 전환, 연장근무수당 일부 기본급화, 임금피크제 1년 도입, 직원 특수건강진단 실시, 다면평가 인사 참고자료 활용 등의 활동을 했습니다. 7기 집행부의 가장 힘들었던 순간을 꼽자면 조합원 성과연봉제 도입을 반대하면서 공단 본관 앞에서 천막을 치고 2017년 무더운 여름에 한 달 이상을 상무집행위원, 전국 지부장들과 함께 투쟁했던 기간을 빼놓을 수 없을 것 같습니다.

[#마무리하며] 이렇게 6년간의 노동조합 활동을 회상해 보니 일일이 나열하지 못한 더 많은 것들이 생각납니다. 지금도 이 모든 것이 보람으로 남아있다고 당당하게 이야기할 수 있는 까닭은 조합원 직계가족 조사 때 빠짐없이 전국 장례식장을 찾아가 그 슬픔을

함께한 시간, 그리고 근로시간면제자를 비롯한 상무집행위원들과 함께 노동조합 및 공단의 미래에 대해 많이 고민했던 시간, 그리고 이때 쌓은 우정으로 또 다른 형제를 얻었기 때문입니다. 마지막으로 정의감과 순수함을 가지고 노동의 가치가 존중 받을 수 있도록 최선을 다하는 노동조합에 감사를 드리며 건승을 기원합니다.

그 때의 노동조합(4)

"함께 하면 강해집니다"

이태형(8기 위원장)

8기 집행부를 마치고 현업으로 복귀한지 3년이 다 되어가는 시점에 현 집행부로부터 8기 노동조합의 이야기를 바람터 지면에 담아보자는 제안을 받고 3년의 추억을 다시 끄집어 내 보았습니다. 겨우 천일 정도 지났을 뿐인데 마치 먼 옛날의 일처럼 느껴지는 건 유쾌하지 않은 잔상들을 머릿속에서 의도적으로 밀어내려 했던 제 노력과도 무관하지 않은 듯합니다.

2018년 임기 1년차의 첫 협상 의제는 임금피크제 적용이었습니다. 노사는 '15년(7기 집행부) 임금피크제 도입 당시, 직급별 차등 적용 2년 유예를 거쳐 '18년부터 모든 직급에 대해 동일기간/동일 감액율을 적용하기로 합의하였습니다. 노사 합의사항은 전임 집행부와 전임 이사장 여부를 떠나 당연히 지켜야 하는 원칙임에도 불구하고 새로 부임한 이사장은 노사합의를 이행하지 않았고 노동조합 첫 단체행동에 나서게 됩니다. 결국에는 원래 합의사항 대로 전 직급 동일 기간/동일 감액율의 임금피크제 적용을 쟁취했으나 노사합의에 이르기까지 8개월 동안 직급간의 극심한 대립과 갈등, 불신을 초래한 책임과 비난은 오롯이 노동조합이 져야만 했습니다. 물론 이런 노사 갈등 속에서도 업무직 직원의 정규직 전환 및 노동조합 가입, 1급 직책총량제 도입, 명예승진제도 도입, 1차 통상임금소송 일부 승소, 특수건강진단 확대 실시 등의 성과도 있었습니다. 그러나 그 해 11월 즈음하여 다시 사측은 노사 간에 소통과 공감없는 '지역부서제'를 필두로 한 조직개편을 강행하였고 노동조합의 저지투쟁에도 불구하고 결국 조직개편안을 포함한 직제규정을 전면 시행하게 됩니다.

2019년 임기 2년차에는 정부의 직무급제 도입을 위한 임금체계 개편, 국토안전관리원 설립 추진 등의 외부 환경 변화와 더불어 졸속으로 시행된 직제규정으로 인해 내·외부 혼선과 문제점들이 속속 드러났습니다. 이에 노동조합은 조직개편에 대한 조합원의 87%의 반대의사 표명과 함께 47일간 차디찬 천막투쟁 결과, 사측은 조직을 안전·보건·건설 등 기존 직렬별 부서로 원상복귀하게 됩니다. 조직개편 투쟁은 단체협약에 조직개편 시 노동조합과 협의를 강제화하는 문구를 추가하는 계기가 되었습니다. 이 이외에 2차 통상임금소송 진행, 내부경영평가 일선기관 비계량지표 전면 폐지, 개인형 복지카드 도입을 통한 혜택 확대, 돌봄기금 조성 및 운영방안 개선 등 성과도 있었으나 무리하게 강행한 조직개편 후유증은 당시 이사장 재임 기간 내내 계속되었습니다. 뿐만 아니라 단기적 보여주기식 성과에 집중된 패트롤 사업과 지게차 전수조사, 신규직원 6개월 교육 실시 등 공단과 조합원을 대상으로 한 무모한 실험은 계속되었습니다.

2020년 임기 3년차에 불어닥친 COVID-19의 충격도 잠시, 공단 건설 사업과 업무중복 등의 문제에 대한 노동조합 저지투쟁에도 불구하고 국토안전관리원은 정치적 이해관계에 따라 설립되었습니다. 이런 상황 속에서 당시 이사장은 공단의 기능 조정 및 축소가 불가피한 산업안전보건청 설립 필요성을 설파하며 대내외적인 논란을 키웠습니다. 또한 힘겹게 쟁취한 조직개편에 대한 노사 합의사항을 인사권을 이용해 무력화 시도를 했고 직무급 도입을 위한 사전작업을 이어갔습니다. 결국 노동조합은 산업안전보건청 설립 저지 및 직무급 도입 반대를 위한 연대투쟁과 함께 우리가 조인인 공단을 바로 세우고자 이사장에 대한 퇴진을 요구하기에 이릅니다. 조합원 1,460명의 퇴진요구, 그리고 국회와 세종정부종합청사를 거쳐 청와대 앞에서 위원장 1인 시위를 이어가며 이사장 퇴진을 요구했으나 결국 뜻을 이루지 못하고 임기를 마치게 되었습니다.

8기 집행부는 외부보다는 내부문제로 더욱 힘들었던 3년이었습니다. 반드시 해야만 하나 이뤄내지 못한 일들, 그리고 하고 싶지는 않으나 거부할 수 있는 논리와 명분을 찾지 못한 아쉬움이 더 진하게 남습니다. 집행부는 조합원을 대표해서 의사결정을 해야 하고 그에 대한 책임을 져야 하는 자리이기에 참 외롭고 힘든 자리입니다. 조합원 동지들도 그저 기대는 노동조합이 아니라 우리가 주인인 노동조합이 되도록 참여하고 토론하고 쟁취합시다. 마침내 10기 집행부 선출이 마무리 되었습니다. 시대가 요구하고 조합원이 바라는 변화에 맞춰 깨어있고 열려 있는 집행부가 되기를 진심으로 응원합니다.

"내 삶의 힘이 되는 노동조합"

한국산업안전보건공단 노동조합 제9기 집행부